Siegfrie

Die Maske

Erzählungen

Deutscher Taschenbuch Verlag

Ausführliche Informationen über unsere Autoren und Bücher finden Sie auf unserer Website www.dtv.de

2. Auflage 2015
2013 Deutscher Taschenbuch Verlag GmbH & Co. KG, München

Umschlagkonzept: Balk & Brumshagen
Umschlagbild: Lothar Strübbe
Druck und Bindung: Druckerei C.H.Beck, Nördlingen
Gedruckt auf säurefreiem, chlorfrei gebleichtem Papier
Printed in Germany · ISBN 978-3-423-14237-3

Für Ulla

Die Maske

Rivalen

Immer, wenn Detlev Krell den zweiten Saal des Stadtmuseums betrat, blieb er einen Augenblick stehen. Er schloß die Augen, straffte sich, schien Atem zu holen, geradeso, als müßte er sich auf etwas vorbereiten. Wenn er seinen Rundgang dann fortsetzte, lächelte er und beschleunigte seine Schritte, die nicht mehr die Schritte eines Museumswärters waren; er bewegte sich, als ginge er zu einer Verabredung. Sein Blick streifte die Leihgaben von Courbet und Ingres und ruhte einen Moment auf den Werken von Gauguin und van Gogh, die man, vermutlich eingedenk der Freundschaft, die diese beiden Maler verband, nebeneinandergehängt hatte. Es zog ihn weiter. Er mußte Antonia begrüßen, *Antonia mit dem blauen Schal.* Sie, die nicht El Greco selber, sondern einer seiner Schüler porträtiert hatte, erwartete ihn gewiß schon. Nie zuvor hatte er eine so schöne Frau gesehen, in ihren dunklen Augen lag, wie er glaubte, etwas Dringendes, eine dringende Frage, die beantwortet werden wollte. Ihr Haar war im Nacken gesammelt; die Lippen, leicht verzogen, ließen auf einen Schmerz schließen, vielleicht auf einen Schmerz, der aus der Erinnerung kam. Antonia saß an einem Tisch, auf dem, lässig hingestreut, ein paar Goldmünzen lagen. Der leere Stuhl neben dem Tisch deutete Erwartung an.

Mit einer leichten Verneigung des Kopfes trat der Wärter vor das Porträt, erwiderte den Blick der dunklen Augen, die auf ihn gerichtet waren, hob eine Hand, ging rückwärts zu der schmalen Polsterbank und setzte sich. Es waren noch keine Besucher da, er hatte Antonia für sich allein. Oft konnte er so sitzen, mitunter verspürte er den Wunsch, dies schöne Gesicht zu berühren, mitunter bewegten sich seine Lippen, als flüsterte er Antonia etwas zu, und mehr als einmal hatte er das Bedürfnis, den blauen Schal um diese Schultern zu legen, sie zu bedecken, zu schmücken. Unwillkürlich mußte er dabei an seine Sandra denken, die das kleine Haus hütete, an ihre fröhliche, impulsive Art und die Lieder, die sie am Morgen sang. Sie waren noch Schüler, als er sie zum ersten Mal küßte; geheiratet hatten sie in dem Herbst, als er die Stellung eines Museumswärters erhielt. Mit der Unterstützung ihrer Eltern lebten sie auskömmlich, und wenn sie Pläne für die Zukunft machten, waren es bescheidene Pläne. Detlev Krell wunderte sich nicht mehr, wenn Sandra ihn bei verschiedenen Gelegenheiten fragte, ob er sie noch liebte, mit dem ihm eigenen Humor antwortete er: »Mir bleibt nichts anderes übrig.«

Daß in seinem Museum jemals geschehen könnte, was nach Ostern in einem Schweizer Museum geschehen war, hatte er sich nicht vorzustellen gewagt; umso fassungsloser war er, als er an einem Morgen den Diebstahl entdeckte. Er war nicht nur fassungslos, er war auch empört. Der Dieb war über das Dach eingestiegen, es war ihm gelungen, sich durch eine Öffnung abzuseilen – das Seil hatte er hängen lassen – und mit seiner Beute unerkannt zu entkommen. Bevor Krell das Büro der Direktion verständigte, ging er weiter in den Saal hinein, starrte entsetzt auf die weißen Stellen zwischen den Gemälden, übersah allmählich, was da fehlte. Die *Kartenspieler* waren nicht mehr da; dort, wo die fröhlichen *Sackträger* ihre Last auf einen Kahn schleppten, entdeckte er nur eine weiße Leere, und auch das *Schmücken der Braut* – ein Bild, das ihn so oft heiter gestimmt hatte – war nicht mehr an seinem Platz. Von plötzlicher Angst erregt, ging er weiter und sah sogleich, daß seine Angst nicht recht behielt: Antonia war noch da, seine Antonia. Er fragte sich nicht, was den Dieb bewogen haben könnte, sie zu übersehen und an ihrer Stelle zu belassen, er trat vor ihr Porträt, berührte ihre Wangen und sagte leise: »Gott sei Dank.« Erleichtert setzte er sich auf eine Ruhebank, schnippte eine Zigarette aus der Packung, zündete sie jedoch nicht an. Nach einer Weile ging er in den Gerätraum, wo immer noch ein Stapel von Decken und Zeltplanen lag, bereit für Transporte. Er beklopfte sie, lüftete eine Decke, eine Zeltplane – und jetzt beschloß er, zu handeln; es war ein spontaner Einfall. Mit entschlossenen Schritten ging er in den Saal zurück, horchte, trat vor Antonias Porträt und hängte es ab. Er war erstaunt, wie leicht es war. Vielleicht kam es ihm aber auch nur so vor. In der Gerätekammer hob er einige Decken hoch, legte das Bild ab und deckte es zu. Er strich die obersten Decken glatt, bis nichts mehr daran erinnerte, was in dem warmen Versteck verborgen war. Über ein Telephon, das ihn direkt mit dem Büro der Direktion verband, meldete er, was geschehen war; seine Erschütterung klang glaubwürdig.

Der Alarm, den er auslöste, die Untersuchung, die Spurensicherung und Befragung: alles geschah, wie er es bereits in einem französischen Film gesehen hatte; diesmal allerdings wurde er selbst befragt, er, der den Kunstraub als erster entdeckt und gemeldet hatte. Auch dabei gelang es ihm, seine Erschütterung überzeugend darzustellen, der Vertreter des Direktors dankte ihm mit langem Händedruck.

Zwei Tage ließ er Antonia unter den Decken, seine Unruhe setzte ihm so zu, daß er mehrmals den Geräteraum aufsuchte, nur um sich zu vergewissern, daß sie noch an ihrem Platz war.

An einem späten Abend – es war dunkel, leichter Regen fiel – trug er das in Zeltbahnen eingeschlagene Porträt zu seinem Auto und legte es in den Kofferraum, den er vorher ausgemessen hatte. Zur Polsterung hatte er sich ein paar Lappen besorgt. So, wie er immer nach Feierabend fuhr, fuhr er auch mit seiner Fracht nach Hause und parkte neben seiner Werkstatt, einem selbstgebauten Schuppen, in dem er kleine Reparaturarbeiten verrichtete und manchmal auch ausruhte. Vorsichtig trug er das Porträt in die Werkstatt, musterte die Wand, als suchte er nach einem geeigneten Platz; schließlich, da er nichts zu finden schien, stellte er Antonia vor der breiten Liege ab. Zufrieden nickte er ihr zu. Bevor er noch ins Haus ging, erschien

Sandra vor der Tür und fragte: »Was hast du gebracht, Detlev? Etwas für mich?« Unsicher, was er darauf antworten sollte, streckte er ihr eine Hand hin und sagte nur: »Komm, Sandra.« Er zog sie vor das Bild, gespannt auf ihre Reaktion, doch sie stand nur wortlos da, und auf ihrem Gesicht erschien ein kleines glimmendes Mißtrauen, das allein Antonias Schönheit galt. Nach kurzem Schweigen sagte sie: »Diese Frau ist sehr schön.« »Ja«, sagte er, »aber das war einmal.« Um ihr zu erklären, warum er das Porträt hierhergebracht hatte, log er ihr vor, daß er es vorübergehend in seine Obhut genommen habe, »weil man etwas verändern will im zweiten Saal, umhängen, glaube ich«. Sandra sah ihm an, daß er log. Sie zuckte die Achseln und ging hinüber ins Haus und nach kurzer Unschlüssigkeit ins Schlafzimmer. Sie wartete, sie lauschte. Detlev kam nicht und tastete nicht wie sonst nach ihrer Hand. In der Stille versuchte sie, sich vorzustellen, was er dort tat vor dem Bild, allein vor diesem Porträt; da es ihr nicht gelang, zog sie die Bettdecke über sich und versuchte einzuschlafen. Die andauernde Stille beunruhigte sie jedoch, Sandra konnte nicht einschlafen. Mit einem Laut der Verzagtheit stand sie auf und ging hinüber zum Schuppen. Auch Detlev hatte sich hingelegt.

Die Hände unter dem Kopf verschränkt, so lag er auf dem Rücken, sein Gesicht dem Bild zugewandt, mit offenen Augen.

Bei ihrem Eintreten schloß er die Augen und stellte sich schlafend. Obwohl Sandra es bemerkte, trat sie neben die Liege, griff das Bild mit beiden Händen und drehte es um – und stellte sich dabei seine Enttäuschung beim nächsten Blick vor. Er protestierte nicht, er ließ es geschehen. Es kam ihm so vor, als hätte seine junge Sandra das Angebot, das das Bild enthielt, ernst genommen. Er glaubte sogar darin bestätigt zu werden, als er den Ausdruck von Ablehnung auf ihrem Gesicht sah, mit dem sie das Bild musterte, obwohl Antonias Erscheinung nicht erkennbar war.

In der Dunkelheit der Nacht, als sie nebeneinanderlagen und sich erzählten, was der Tag gebracht hatte, fragte Sandra: »Diese Frau, Detlev, wie lange soll sie hier bleiben?« Die Frage hatte ihn offenbar überrascht; er fragte: »Du meinst das Bild?« »Dies Porträt«, sagte sie. »Man wird es zurückholen«, sagte er, »bestimmt in den nächsten Tagen.« »Gott sei Dank«, sagte Sandra. Detlev wollte sich mit dieser Reaktion nicht abfinden, er fragte nach, er wollte wissen, ob es Sandra nicht Freude mache, das Bild anzuschauen, dem der Maler den Titel *Antonia* gegeben habe, ein schöner Name, ein schönes Gesicht. Sandra sagte nur: »Ich weiß nicht.«

Diese Unsicherheit dauerte nur vorübergehend an, bald erfuhr sie Einzelheiten über den Kunstraub im Museum ihres Mannes, las in der Zeitung, daß nicht allein die *Sackträger* und das *Schmücken der Braut*, sondern auch das Porträt von Antonia gestohlen worden waren, und als könnte diese Nachricht einen Einfluß auf das Bild haben, betrachtete Sandra es lange und befragte es. Verblüfft hatte sie die Höhe der Versicherungssumme erfahren und ungläubig zur Kenntnis genommen, daß Kunsträuber ein Geschäft daraus gemacht hatten, dem Eigentümer die Rückgabe der gestohlenen Werke anzubieten und dabei ein von ihnen so genanntes Lösegeld zu fordern. Sandra wollte es nicht glauben, daß das Bild dieser Frau einen Wert von einer Million Euro haben sollte. Auch wenn sie es sich nicht eingestehen konnte: Die Höhe der Summe bestärkte sie in ihrer Abneigung.

Was sie wunderte und mitunter ratlos machte, war das Verhalten von Detlev. Er suchte die Nähe zu dem Porträt, er konnte vor ihm sitzen, bewegungslos, sinnend, manchmal so aufmerksam, als erkundete oder erwartete er da etwas. Einmal vermutete Sandra sogar, daß er Antonia eine Frage stellte und ihr etwas zuflüsterte und danach traurig den Kopf schüttelte, wobei sie den Eindruck haben konnte, Antonia hätte ihm eine Antwort gegeben. Es geschah, daß Sandra darauf belustigt reagierte und nur sagte: »Verguck dich bloß nicht in dieses Bild.«

Enttäuscht aber und persönlich herausgefordert fühlte sie sich an einem Sonntagmorgen. Gleich beim Betreten des Wohnzimmers entdeckte sie das Bild, das hier am späten Abend oder in der Nacht aufgehängt worden war. Es mußte heimlich geschehen sein, jedenfalls zu einer Zeit, als Sandra schlief. Einen Augenblick empfand sie diese Frau als Eindringling, die sich herausnahm, sie kühl und abwertend anzusehen, mit einer Überlegenheit, für die es keine Erklärung gab. Auch wenn Sandra es sich nicht eingestand, unter diesem Blick empfand sie plötzlich Haß. Sie rief Detlev. Mit anklägerischer Geste deutete sie auf das Bild. Sie fragte: »Was soll das? Warum hängt sie hier? Warum läßt du sie nicht in der Werkstatt?« »Das Bild bleibt nicht für immer hier«, sagte Detlev, »für eine Weile können wir uns wohl daran gewöhnen.« Darauf sagte Sandra: »Ich würde mich freuen, wenn es wegkommt.« »Hab dich nicht so«, sagte Detlev, »dies Gesicht wirst du wohl ertragen können. Es bleibt vorerst hier.« Das war so schroff und entschieden gesagt, daß Sandra ihn verstört ansah und den Raum verließ.

Antonia blieb bei ihnen, sie sah auf den Frühstückstisch herab und brachte sich bei offener Tür in Erinnerung, wenn Detlev auf seiner Liege ruhte, Sandra entging nicht die Aufmerksamkeit, die er für Antonia aufbrachte, und ebensowenig die Zuneigung, die er offenbar empfand. Ihr Gefühl sagte ihr, daß Detlev sich angesichts des Bildes veränderte und daß sie selbst Gefahr lief, etwas zu verlieren. In ihrer Erbitterung weinte sie. Sie lag auf ihrem Bett und weinte ins Kopfkissen hinein. Wenn er sie zu beruhigen versuchte und nach Gründen ihrer Verzweiflung fragte, bekam er keine Antwort; worunter sie litt, behielt sie für sich. Zum ersten Mal erwog Detlev, das Bild zurückzubringen und es an den Platz zu hängen, der immer noch unbesetzt war. Noch während er diesen Plan bedachte, erhielt er unerwarteten Besuch. Ein Mann, der sich Anwalt nannte, wünschte ihn in einer dringenden Angelegenheit zu sprechen und schlug ihm ein Treffen in einem Restaurant vor. Beunruhigt erschien Detlev an dem vorgeschlagenen Platz, denn er ahnte, daß man mit ihm über das Bild sprechen wollte. Er täuschte sich nicht. Nachdem der Anwalt ihm erklärt hatte, daß er im Auftrag eines Mandanten gekommen sei, gab er zu erkennen, wieweit er eingeweiht war in den Diebstahl, und nicht nur dies: Sein Auftraggeber hatte den Anwalt ermächtigt, für die Beschaffung des Kunstwerks die Summe von vierhunderttausend Euro anzubieten. Detlev wollte nicht wissen, woher der Anwalt seine Kenntnisse hatte, wollte auch nicht erfahren, wer das Geld angeboten hatte; während des Gesprächs konnte er sich nicht entscheiden.

Antonia blieb bei ihnen, und jeden Tag mußte er erleben, wie Sandra unter der Anwesenheit des Bildes litt, welche Ausdrucksformen der Abneigung ihr einfielen oder der Erbitterung. Was ihm besonders naheging, waren die drohenden Gesten, die sie manchmal im Vorübergehen äußerte, eine warnend erhobene Hand, ein Kopfschütteln, und nicht zuletzt die Augenblicke, in denen ein Weinkrampf sie heimsuchte; da begann er, Mitleid für sie zu empfinden.

Mit einem Aufruhr seiner Gefühle mußte er an jenem Morgen fertig werden, als er Antonia gegenübertrat; noch bevor er ihr zunickte, sah er, daß es nicht das Gesicht war, das er kannte, das er liebte. Schnittstellen liefen über ihre Wangen, vom Auge bis zum Kinn, die Schnitte schienen erbittert geführt worden zu sein, sie verunstalteten das Gesicht, gaben ihm einen leicht grinsenden Ausdruck. Er stöhnte. Er stand und starrte die Zerstörungen an, er ballte die Fäuste; einmal schrie er. Als müßte er auch fühlen, was er sah, fuhr er mit einem Finger über ihre Schnittstellen, und dabei glaubte er, einen unbekannten Schmerz zu spüren. Ein Wunsch nach Vergeltung rührte sich. Entschlossen ging er ins Schlafzimmer. Sandra lag auf dem Bett, sie hielt ein Kissen in beiden Händen und wimmerte. Er schrie nicht: Was hast du getan? Erbittert fragte er: »Wie konnte das geschehen, du?« Ein erneuter Weinkrampf schüttelte sie, und Detlev erkannte, daß sie nicht in der Lage war, zu erklären, was sie getan hatte. In ihrer Verzweiflung war sie unerreichbar. Detlev gab es auf, sie zur Rede zu stellen. Er betrachtete sie, und auf einmal wußte er, was er tun mußte.

Zu günstiger Zeit brachte er das Bild in den zweiten Saal zurück und hängte es an die immer noch unbesetzte Stelle. Mit prüfendem Blick musterte er danach seine Antonia; sie schien einverstanden zu sein.

Wenige Tage darauf las er in der Zeitung, daß ein offenbar reumütiger Kunstdieb ein gestohlenes

Bild seinem Eigentümer zurückgebracht hatte, in beschädigtem Zustand, aber wieder freigegeben zum Staunen, zur Bewunderung.

Die Maske

Immer schon war es hier so: Kaum war der Sturm vorbei, tauchten sie aus ihren Hütten und Häusern auf und streiften durch die Dünen zum Strand hinab, erwartungsvoll, belebt von der Hoffnung auf Finderglück. Als folgten sie einem Ruf, einer Aufforderung, so bewegten sie sich; mitunter, wenn sie etwas Ungewöhnliches entdeckten, das der Sturm an den Strand geworfen hatte, beschleunigten sie ihre Schritte. Ich hatte es oft beobachtet.

Das war auch in jenem Spätsommer nicht anders, als ich die Semesterferien bei meinem Großvater verbrachte, bei Opa Klaas, wie wir ihn nannten. Für die Einheimischen war er der Inselwirt. Wer in seinem Gasthaus zu beliebiger Tageszeit etwas Belebendes bestellte – Rum oder Grog oder Aquavit –, brauchte nie allein zu trinken, bei ihm, dem Geschichtenerzähler, dem geduldigen Zuhörer. Da nach seiner Überzeugung alles Existierende einen Namen haben mußte, nannte er sein Gasthaus *Blinkfeuer.* Es hatte vier Gästezimmer, der größte Raum war der von ihm so genannte Festsaal; längst vertrocknete Girlanden aus Herbstblumen sollten anscheinend den Festcharakter beglaubigen. Während des Sturms benutzte eine bayerische Reisegruppe, die sich mit dem Inselleben bekannt machen sollte, den Festsaal als Notquartier – fröhliche Leute, die, als der Wind in immer heftigeren Böen den armseligen Garten plünderte, zu singen anfingen und dabei die Schönheit ihrer Berge feierten.

Daß sich alles so beruhigen konnte in kurzer Zeit; wie verausgabt rollte die See an, in der Luft spürte man eine ungewöhnliche Stille der Erschöpfung, aber auf einmal waren auch wieder die Stimmen der Seevögel zu hören, ihr ewiges Gezänk, ihre gellenden Warnrufe. Hier und da traten Leute aus den Häusern, um nach dem Himmel zu sehen. Am Horizont zeigte sich das graue Patrouillenboot der Küstenwache, langsam zog es vorbei, ein Sinnbild der Sicherheit. Aber auch große Schiffe zeigten sich, die Container-Riesen der Maersk, der Hapag-Lloyd und der China Shipping, sie waren unterwegs nach Hamburg und ragten mit ihren Aufbauten und ihrer Ladung so hoch auf, als pflügten sie über Land.

Unterhalb des *Blinkfeuer*, dort, wo die Wellen

jetzt nicht mehr hinleckten, waren zwei Männer dabei, einen metallgrauen Container zu untersuchen, der im Sturm über Bord gegangen war. Bevor es ihnen gelang, den Container zu öffnen, war ich schon bei ihnen und bot ihnen meine Hilfe an. Sie antworteten nicht, anscheinend, um mir zu verstehen zu geben, daß es ihr Strandgut war und sie nicht bereit waren, gegebenenfalls zu teilen. Ich fand heraus, daß der Container in Shanghai an Bord der China Shipping gekommen und bestimmt war für ein Museum in Hamburg, mehr konnte ich nicht herausfinden; der Adressat *Museum für Völkerkunde* war so undeutlich geworden, daß ich ihn lediglich erriet. Während ich den Männern bei ihrer Arbeit zusah, versuchte ich mir vorzustellen, was der Container enthielt; ich dachte an Seidenmäntel, an hauchdünnes Porzellan, dachte an Brettspiele und kunstvoll geschnitzte Opiumpfeifen. Als ich bemerkte, wie schwer es den Männern fiel, die Verschraubungen zu lösen, bot ich ihnen noch einmal meine Hilfe an, und jetzt wurde mein Angebot mit einer Handbewegung angenommen. Keiner sagte ein Wort, ratlos und verblüfft sahen wir uns an; in einer Sektion des Containers, in einem Polster aus Fellen und Wolle, lagen da mehrere Masken, vor allem Tiermasken. Einer der

Männer hob sogleich die Maske eines Froschs vor sein Gesicht und stieß belustigt einen Quaklaut aus. Auch der andere Mann paßte sich eine Maske an, er gefiel sich offenbar als Pferd. Begeistert von unserem Fund, probierten wir in raschem Wechsel verschiedene Masken an, lachten uns als Schwein zu, meckerten als Ziegenbock, brummten als Bär; – prompter ist Fröhlichkeit hier nie entstanden als an dem Tag, an dem der Sturm uns diesen Container zum Geschenk machte. Obwohl ich die Männer nie zuvor gesehen hatte, brachten die Masken es mit sich, daß eine unerwartete Nähe zwischen uns entstand, wir klopften einander auf die Schultern, lockten und erschreckten uns gegenseitig, spielten Furcht und Zuneigung. Auch wenn es nicht in unserer Absicht lag: Was sich da unwillkürlich zeigte, waren Beispiele einer seltenen Versöhnung von Tieren.

Mit den Masken vor dem Gesicht, in der Absicht, uns Opa Klaas zu zeigen und etwas zu trinken, gingen wir ins *Blinkfeuer* hinauf. Bis auf eine Familie aus dem Rheinland waren keine Gäste da. Nach einem Augenblick der Überraschung schmunzelten die Erwachsenen und winkten uns freundlich zu wie Bekannten, während der Junge sich hinter dem Rücken seines Vaters verbarg. Opa

Klaas grinste nur und fragte: »Wer schneit mir denn da ins Haus?«, und nachdem ich erzählt hatte, woher die Masken stammten, sagte er – und es klang wie das Wort eines Eingeweihten –: »Ja, ja, die China Shipping Line.« Ohne uns nach unseren Wünschen zu fragen, tischte er dann Bier und Klaren auf, genehmigte sich das gleiche und trank, wie immer, auf guten Inselaufenthalt. Bei dem Versuch, mitzutrinken, mußten wir die Masken ablegen, und dabei erschien auf einigen Gesichtern ein Lächeln, das um Entschuldigung bat.

Ich hatte die Maske eines gutgenährten Drachen gewählt, der sich allerdings nicht furchteinflößend oder warnend zeigte, sondern zwinkernd, fast komplizenhaft. Von meinem Eckfenster konnte ich beobachten, daß es keiner der Leute, die nun zum *Blinkfeuer* heraufkamen, versäumte, einen Blick in den Container zu werfen. Erstaunt, erheitert deuteten sie auf einzelne Masken, hoben einzelne heraus, setzten sie auf und ließen sich von ihren Begleitern begutachten, schätzen.

Und plötzlich sah ich Lene wieder. Sie trug Shorts und Sandalen und, um ihr langes blondes Haar zu bändigen, ein Stirnband. Zwei Mal hatte sie die Kajakmeisterschaften der Insel gewonnen und ihren Sieg mit einer doppelten Eskimorolle abgeschlossen. Sie war schön. Ihr Bild hätte gut in eine Anzeige gepaßt, mit der für Inselfreuden im Sommer geworben wird. Zögernd trat sie an den Container heran, schaute hinein, kramte einen Moment, sortierte und entschied sich schließlich für die Maske einer Wildkatze, die, wie ich dann bemerkte, Ähnlichkeit mit einem Tiger hatte. Gleich bei ihrem Eintreten winkte ich ihr zu, doch bevor sie an meinen Ecktisch kam, sah sie sich zuerst prüfend um, grüßte besonders einen athletischen Burschen, an dem mir eine goldene Halskette auffiel und der die Maske einer intelligenten Ratte aufgesetzt hatte. Ich vermutete gleich, daß es Jonas war, der Schwimmlehrer.

Lene fiel nichts anderes ein, als sich mit einem Schnurrlaut an meinen Tisch zu setzen. Sie wies Bier und Klaren zurück und bat Opa Klaas um Gin und Tonic. Ich wußte, daß ihr Vater Netzemacher war – Grundnetze, Aalreusen, Stellnetze für Flachfische –, wußte auch, daß sie in der Hochsaison eine Vertretung in der Lebensrettungsgesellschaft übernahm. Interessiert betrachtete sie meine Maske und strich einmal zaghaft über die Wange des Drachens. Lächelnd fragte sie: »Muß ich mich fürchten vor ihm?« »Noch nicht«, sagte ich.

Da hier jeder befragt oder ausgefragt wird, erstaunte es mich nicht, daß sie mich bat, ihr von mir zu erzählen; ihre Wißbegier bestätigte nur, daß sie hierhergehörte. Wie lange mein Studium der Pädagogik dauere, wollte sie wissen, um welche Inhalte es gehe, ob alles zu bezahlen sei, und schließlich fragte sie auch, welche Berufsaussichten es in meinem Fach gebe. So gut es mir gelang, erzählte ich ihr, was ich über mich wußte, erzählte es in ihr Katzengesicht hinein, das sich nicht veränderte, das nur gleichmütig aufnahm. Einmal aber nahm sie meine Hand und drückte sie leicht; ich mußte es als Zeichen ihrer Dankbarkeit auffassen. Wer erzählt, gibt ja unwillkürlich etwas über sich selbst preis, ganz gleich, wovon und mit welchen Worten er erzählt, selbst wenn Worte verbergen oder entstellen, bezeichnen sie den Erzähler.

Ich hatte den Wunsch, sie zu küssen, doch ich brachte es nicht fertig, meine Lippen auf die Maske zu drücken, obwohl Lenes hellblaue Augen darauf zu warten schienen. Um ihre Nähe zu finden, rückte ich an sie heran, legte einen lockeren Arm um ihre Schulter und stieß einen Laut aus, einen, wie ich glaubte, schmeichelnden Laut. Sie lachte und antwortete mit einem vergnügten Schnurren.

Groß war meine Verblüffung, als sich der Bär nach kurzer Unentschiedenheit neben den Frosch setzte; ihre Masken verheimlichten nicht genug. Die Tätowierungen, die er am Oberarm trug, ließen keinen Zweifel, daß der Bär Asmussen war, während sich hinter dem Frosch Hauke Just verbarg, der seine Identität preisgab, als er sich aus seinem Schnupftabakbeutel bediente. Auf der Insel wußte man, daß nicht nur sie, sondern auch ihre Familien sich in Abneigung verbunden waren, man verdächtigte einander, heimlich Netze und besonders Reusen zu leeren, und man konnte einander nicht verzeihen, bei einer Hilfeleistung auf See versagt zu haben. Grußlos, sprachlos hatten sie lange nebeneinander her gelebt; deshalb fand ihre Annäherung nicht nur meine erhöhte Aufmerksamkeit. Der Bär und der Frosch taxierten sich gespannt, jeder schien auf etwas zu warten; bei dem langsamen Gang der Gedanken, der vielen auf der Insel eigen war, kam Geduld wie von selbst auf. Ich konnte nicht entscheiden, wer von den beiden zuerst sein Glas ergriff, der Bär oder der Frosch, jedenfalls hoben sie das Glas gegeneinander, tranken und lachten, lachten gequält und hatten offenbar vergessen, was sie so lange Zeit getrennt hatte. Opa Klaas, der das auch beobachtet hatte, zog sogleich seine Schlüsse daraus, und mit einer Flasche Klarem kam er heran und schenkte nach.

Lene prustete vor Begeisterung. Sie lüftete die Maske und fächelte sich Luft zu; und dann sagte sie: »Hast du das gesehen, Jan? Das kann doch nicht wahr sein.«

Die Ente, die mit angenommenem Watschelgang hereinkam und nach einem Platz Ausschau hielt, wurde mit zögerndem Beifall empfangen. Es konnte nicht nur, es mußte Frauke Pienkogel sein. Alle erkannten sie. Nicht sehr beliebt, lebte sie allein in einem großen Strohdachhaus, doch wenn sie auch nicht beliebt war, so sprach man doch über sie mit einer Art dunklem Respekt. Ein Grund dafür bestand darin, daß sie auf der Insel die einzige war, die aus der Hand lesen konnte, und dies auch gegen Honorar tat, für Einheimische, für Sommergäste und auch für Seeleute, die hier kurz vor Anker gegangen waren. Opa Klaas beugte sich über mich und flüsterte: »Die magerste Ente, die sich jemals ins *Blinkfeuer* verirrt hat.« Ohne nach ihrem Wunsch zu fragen, servierte er ihr einen doppelten Klaren. Ich wollte ihr zutrinken. Sie wandte sich zunächst ab, bedachte sich offenbar und entschied sich dann doch, ihr Glas zu heben. Warum sie mir spaßhaft drohte, habe ich nicht gleich verstanden; ich vermutete, daß ihre Drohung dem Drachen galt.

Ausgelassenheit breitete sich aus, man wechselte Tierlaute, man imitierte Gesten der Sympathie. Die Stimmung stieg noch, als Opa Klaas, nach kurzer Abwesenheit, mit der stilisierten Maske eines Hundes erschien und mit heiserem Bellen und Röcheln begrüßt wurde. Selbst Ingo Dornholt bellte, von dem alle wußten, daß er einen Prozeß gegen Opa Klaas verloren hatte; Ingo, der die Maske eines Affen trug. Es wunderte uns nicht, daß beide sich die Hand gaben und den Händedruck dauern ließen. Lene schmiegte sich an mich. Sie sagte: »Schön, nicht?« Ich nahm die Maske ab und küßte sie, und sie erwiderte meinen Kuß.

Als hätte Opa Klaas unsere Wünsche erahnt, besprach er sich mit Fiersen, seinem Koch, und wie so oft, verwöhnt vom Beifall, erschien Fiersen mit seinem Schifferklavier und dankte mit der Erkennungsmelodie *Ein Schiff fährt nach Shanghai.* Ich traute meinen Augen nicht, denn die ersten Tänzer waren der Bär und die Ente. Sie tanzten behutsam, in sicherer Umklammerung, und da sie auch hingebungsvoll tanzten, gaben sie anderen ein Zeichen, es ihnen gleichzutun. So etwas hatte das *Blinkfeuer* gewiß noch nie erlebt, denn was sich sonst, im gewöhnlichen Leben, nicht beachtete oder nur Geringschätzung füreinander übrig hatte, fand plötzlich zueinander und genoß die ungewöhnliche Zweisamkeit. Lene konnte nicht ruhig sitzen, sie wippte, sie betrommelte leicht ihre Schenkel, sie sprach den Text des Liedes nach, das Fiersen spielte, wobei ein suchender Ausdruck auf ihrem Gesicht erschien, gewiß war sie auf der Suche nach Erinnerung. Ich brauchte sie nicht förmlich aufzufordern, ich nickte ihr nur zu, und wir beide tanzten. Wir tanzten nur einmal, denn bei dem Lied *Fahr mich in die Ferne, mein blonder Matrose* – einem langsamen Sehnsuchtslied – standen gleich mehrere Gäste auf, man faßte sich bei den Hüften und bildete einen Zug, einen Schleppzug, und träge, aber gut gelaunt umrundete man Tische und Stühle. Mitunter war ein Freudenruf zu hören. Es überraschte mich nicht, daß die Teilnehmer des Schleppzugs am Ende des Liedes dem Bedürfnis nachgaben, sich zu umarmen, ich hatte den Eindruck, daß man sich gratulieren wollte. Für Opa Klaas war dies der Augenblick, das Wort zu nehmen. »Hört alle mal zu«, sagte er. Da er das Gefühl hatte, daß man in förderlicher Stimmung sei, schlug er vor, die Maske des Abends zu wählen. Die Verblüffung dauerte nicht lange; wie er selbst offenbar vorausgesehen hatte, stimmte man ihm zu, durch Klatschen, durch Rufe. »Gut«, sagte er, »gut – gut«, und dann kam er auf das Wort, das später noch von anderen benutzt wurde: Maskenwahl. »Also schreiten wir zur Maskenwahl«, sagte er und berief auch schon die Jury, bat Ingo Dornholt und Lene an einen Richtertisch und ernannte sich selbst zum Vorsitzenden. Die Mitglieder der Jury wurden aufgefordert, ihre Masken abzulegen. Ich war sicher, daß ich mit meinem Drachen die Wahl gewinnen würde.

Einzeln wurden wir aufgerufen, vor den Richtertisch zu treten, nicht bei unserem Namen, sondern bei dem der Maske, die wir trugen: Der Frosch bitte, die Ente, der Hund, der Drache, und wir taten es und wurden eingeschätzt und ausgelegt und auch nach einem typischen Laut beurteilt, den wir äußern sollten; mir ist dabei nur ein stoßweises Fauchen eingefallen.

Nachdem alle Masken sich präsentiert hatten, begann die Jury mit ihrer tuschelnden Beratung, und da es erkennbar war, wie schwer es ihr fiel, sich zu einigen, versuchte Opa Klaas, sowohl die Urteilsfindung zu erleichtern als auch die Geduldsprobe für alle zu verkürzen. *Windstärke 11* hieß der Klare, den er auftischte. Die Jury nahm das Angebot dankbar an, man trank sich zu, ließ nachschenken, fand anscheinend Freude an dem Austausch von Eindrücken, von Urteilen.

Mein Drache hat nicht die Wahl zur Maske des Abends gewonnen, auch der Frosch nicht, auch die Ente nicht. Was Opa Klaas als Entscheidung der Jury bekanntgab, hinterließ Ungläubigkeit und Enttäuschung, zumindest am Anfang. »Nach eingehender Beratung«, so verkündete er, »sind wir zu dem Schluß gekommen, daß keine Maske es verdient, als Maske des Abends ausgezeichnet zu werden. Jede bringt etwas zum Vorschein, jede steht für etwas, für Tapferkeit ebenso wie für Treue, für List nicht weniger als für Beharrlichkeit, eine hervorzuheben bedeutet deshalb auch, andere, und durchaus Gleichwertige, zu übergehen. Alle bezeichnen etwas, alle schlagen uns vor, wie wir uns am besten gegen die Welt behaupten können, welche Eigenschaft uns hilft, ihr gewachsen zu sein.« Opa Klaas hatte seine Zuhörer überzeugt, und nachdem er ihnen die hier übliche Zeit zum Nachdenken gelassen hatte, erntete er Zustimmung, die sich bei Einzelnen auch begeistert zeigte.

Ohne Maske kam Cornelia an meinen Tisch. Mit einer Kommilitonin von der Düsseldorfer Kunstakademie teilte sie sich ein Zimmer im *Blinkfeuer*. Gespannt blätterte sie ihren Zeichenblock auf und zeigte mir, was ihr als Aufgabe gestellt war. Gesichter der Insel sollte sie zeichnen, und es fiel mir leicht, Kaufmann Madsen wiederzuerkennen und den Leuchtturmwärter Künzel, selbstverständlich auch Opa Klaas. Warum sie mich zu den Inselgesichtern rechnete, habe ich nicht erfahren, doch als sie mich um Erlaubnis bat, mich zu zeichnen, stimmte ich zu und bedauerte sogleich, daß Lene aufstand und zu einem anderen Tisch ging.

Ich nahm meine Maske ab und legte sie vor mich hin. Ich beobachtete Cornelia, während sie mich porträtierte. Was sich in ihrem Gesicht spiegelte, verwunderte mich nicht. Freimütig ging sie auf Entdeckungsreise, verzog die Lippen, hob die Augenbrauen. Bei ihrem Versuch, mich erkennbar zu machen, nickte sie lächelnd. Sie legte die Stirn in Falten und schüttelte den Kopf wie in Abwehr. Unwillkürlich fragte ich mich, warum sich plötzlich ihr Gesicht verschattete. Und ich fragte mich, was der schwache Zischlaut zu bedeuten habe und warum sie sich, mit der klassischen Geste des Zweifels, hinter dem Ohr kratze. Warum sie die Nase kraus zog, konnte ich nur vermuten. Der kurz aufscheinende Triumph und der entschlossene Gebrauch des Farbstifts deuteten auf eine notwendige Korrektur hin. Mehrmals hielt sie das Blatt von sich ab und betrachtete es mit schräggelegtem Kopf. Warum sie immer wieder die Maske anschaute – sie tat es prüfend, vergewissernd –, versuchte ich mir zu erklären.

Auf einmal trat Stille ein. Alle wandten sich dem Eingang zu, wo drei Uniformierte erschienen waren. Einer, der das Sagen hatte, hob einen Arm und bat um Ruhe.

Es waren Männer der Küstenwache. Er, der das Sagen hatte, der Kommandant oder Chef, bat um Entschuldigung für die Störung – wörtlich sagte er: »Es tut mir leid, meine Damen und Herren, aber ich muß die fröhliche Stimmung für einen Augenblick unterbrechen.« Und als diktierte er ein Protokoll, fuhr er fort: »Es wurde hier ein Container der China Shipping Line unrechtmäßig geöffnet. Man hat sich den Inhalt unrechtmäßig angeeignet. Sie werden hiermit aufgefordert, alle entwendeten Gegenstände zurückzugeben.« Auf ein Handzeichen postierten sich die Uniformierten an der Tür, und wir wurden aufgefordert, den Raum zu verlassen, nacheinander.

Ich suchte Lene; auch sie erhob sich, betastete ihre Maske und reihte sich ein, und als sie bei den Uniformierten war, fiel ihr nichts anderes ein, als die Wildkatze mit einem angedeuteten Kuß zu übergeben. Asmus Asmussen lieferte den Bären ab und Hauke Just den Frosch, ihnen wurde gedankt.

Der Uniformierte, dem ich meine Maske übergab, war wohl zu einem Spaß aufgelegt, denn nach einem vergleichenden Blick auf den Drachen und mich sagte er: »Eine Ähnlichkeit ist nicht festzustellen.«

Als Prugnitz an der Reihe war, entstand ein kleiner Tumult. Er, der sich als Hahn gefiel, zögerte, seine Maske abzunehmen, er maulte, drohte, woraufhin ein Uniformierter es als sein Recht ansah, Prugnitz die Maske vom Gesicht zu reißen. Bevor er noch sagen konnte, wen er da zum Vorschein gebracht hatte, schlug Prugnitz ihm vor die Brust und warf den Uniformierten zur Seite und stürmte ins Freie. Behende lief er auf die Dünen zu, entschied sich dann aber für die Ansammlung von Strandkörben, die vor dem Sturm in Sicherheit gebracht worden waren, hier verlor ich ihn aus den Augen; die beiden Verfolger gaben auf.

Die Uniformierten glaubten ihre Arbeit getan zu haben. Ihr Chef begutachtete den Stapel der Masken und erklärte, daß diese unrechtmäßig entwendeten Gegenstände hiermit eingezogen seien, man werde sie in der nächsten Woche abholen. Er ließ sich von Opa Klaas einen Schrank öffnen, legte die Masken selbst hinein und sagte: »In der nächsten Woche wird man Sie erleichtern.« Dann gab er den Befehl zum Aufbruch, und die Uniformierten zogen ab.

Warum Asmus Asmussen und Hauke Just in Streit gerieten, war nicht erkennbar, zuerst drohten sie einander, dann reckten sie sich, dicht zusammenstehend, zu wahrer Größe, geradeso, als wollten sie sich messen, schließlich fielen die ersten Schläge, und danach probierten sie Umklammerungen, Ringergriffe. Es wunderte mich nicht, daß sich sogleich Parteien bildeten, die ihren Favoriten durch Zurufe unterstützten, es hätte nicht viel gefehlt, und die Parteien hätten übernommen und ausgetragen, was ihnen vorgemacht wurde von den beiden.

Auf ein Zeichen von Lene ging ich zu ihr, sie nahm meine Hand und zog mich hinaus, fort von den aufgebrachten Leuten, für die sie nur ein mitleidiges Lächeln übrig hatte. Wir gingen den erlaufenen Wanderweg bis zu den Schuppen ihres Vaters, hier sagte sie: »Komm, Jan, wir sagen dem alten Mann guten Tag.« Ihr Vater war dabei, die Leine eines Wurfnetzes anzupassen. Bei seinem Anblick dachte ich: Der braucht keine Maske, den kann man gleich für einen Hasen halten. Zweimal mußte Lene ihm meinen Namen nennen, er blickte mich skeptisch an, nachdem Lene ihm beigebracht hatte: »Jan ist vom *Blinkfeuer.*« Ich fragte ihn nach der Besonderheit des Wurfnetzes, und er schien erfreut über meine Frage. Ich wußte, daß Wurfnetze vor allem bei der Flußfischerei gebraucht wurden, auf den Strömen in Südamerika, und er versicherte mir, daß die Fischer geübte Werfer seien, Schleuderer eigentlich. Einem Einfall nachgebend, entblößte er seine Schneidezähne, griff das Wurfnetz und forderte mich auf, einen Augenblick bewegungslos stehen zu bleiben, und ohne meine Einwilligung abzuwarten, demonstrierte er die Möglichkeiten seines Netzes. Ruckhaft, als erweckte er das am Boden liegende Netz zum Leben, zog er die Leine an, zog und kreiselte gleichzeitig, kreiselte immer schneller, so daß das Netz sich erhob und tellerartig zu seiner Form fand und stieg, bis auf Augenhöhe stieg, jetzt schleuderte er es über mich und zog die Leine zu, und ich war gefangen; von Kopf bis Fuß. Lene klatschte vor Freude in die Hände und sagte: »Gefangen, Jan, du bist gefangen.«

Während sie mich aus dem Garn befreite, summte sie ein Lied. Soweit ich den Text verstand, den sie gelegentlich zitierte, handelte es von einer ersehnten Ankunft nach langer Wartezeit und wiederholte ein Versprechen mit den Worten »Wei Wei Wang«.

Den Kaffee, den ihr Vater uns anbot, schlug sie aus, sie vertröstete ihn auf ein nächstes Mal und behauptete, daß wir erwartet würden, und der alte Mann ließ uns gehen. Zum Abschied legte er mir eine Hand auf die Schulter.

Lene wollte mir etwas zeigen, etwas anvertrauen, sie hatte einen Lieblingsplatz in den Dünen, den sie aufsuchte, wenn sie allein sein wollte, allein mit Wind, Sand und den Seevögeln; dorthin führte sie mich. Die Vertiefung auf dem Kamm der Düne war mit einer Zeltplane ausgelegt, an einigen Stellen war Sand nachgerieselt. »Hier sieht uns niemand«, sagte Lene und setzte sich und deutete auf das Meer hinaus. Schweigend saßen wir nebeneinander – mit dem Schweigen, das manchmal so viel bedeutet, wie Worte es tun können. Wir bliesen und wischten Sandkörner von der Haut, ich empfand das flüchtige Glück ihrer Berührungen. Wie von selbst kam der Wunsch nach Dauer auf. Wir streckten uns aus, lagen nah beieinander; bevor meine Hand zur Ruhe kam, wanderte sie über Lenes Rücken, ihre Hüften. Ich hatte das Bedürfnis, zu sprechen, ihr etwas zu erzählen, doch ich tat es nicht, vielleicht weil ich fürchtete, daß durch Worte etwas verlorengehen könnte. Im stillen für mich aber stellte ich mir etwas vor, deutlich sah ich das kleine Haus vor mir, in dem wir zusammen wohnen würden, ich sah sie mich zur Tür und durch den Blumengarten bringen und mir nachwinken auf meinem täglichen Weg zur Schule. Bei diesem anheimelnden Entwurf, ermattet in der Wärme, muß ich eingeschlafen sein.

Ich träumte. Im Traum trug ich meine Maske und trieb mich am Fährhafen herum und am Leuchtturm, heiter begrüßt von Feriengästen, kopfschüttelnd betrachtet von Einheimischen. Plötzlich waren auch Kinder da, eine ganze Kinderschar. Sie folgten mir, sie umkreisten mich, ein Junge legte es darauf an, mich zu provozieren, durch Zurufe, durch schnelle klatschende Schläge. Ich ging schneller, floh vor den Kindern bis zu den Strandkörben. Nachdem ich die Kinder zurückgelassen hatte, blieb ich stehen, um Atem zu holen. Ich bemerkte nicht gleich, daß ich vor der Fensterscheibe unserer Bankfiliale stand; erst als Frau Brodersen an ihren Schalter trat, wußte ich es. Es waren keine Kunden in der Filiale. Frau Brodersen begann, Belege abzuheften, prüfte da, verglich, drückte den Sammler. Ihr gutmütiges Gesicht zeigte nichts als Zufriedenheit. Dann aber hob sie ihr Gesicht und sah mich und hielt mitten in ihrer Tätigkeit inne. Zuerst zeigte ihr Gesicht nur eine plötzliche Starre, fassungslos blickte sie mich an, auch ungläubig; sie öffnete den Mund, stieß vermutlich einen Schrei aus, und verschloß die Kasse. Durch Zeichen gab ich ihr zu verstehen, daß ich jetzt zu ihr kommen würde, worauf sie sich ängstlich umsah, nach einer Deckung suchte oder nach einem Fluchtweg. Ich ging in die Filiale hinein und sagte zur Begrüßung: »Nur ruhig, gute Frau, wenn Sie sich ruhig verhalten, geschieht Ihnen nichts.« Sie blieb an ihrem Platz und zog den Schlüssel von der Kasse und hielt ihn mir hin, mit einer Geste zur Selbstbedienung, wie es mir vorkam. Ich öffnete die Kasse. Es waren nur Münzen darin. Mit einer Handvoll ging ich hinaus zu den Kindern, die zu meiner Überraschung Masken trugen, nicht alle, aber einige von ihnen. Sie umdrängten mich, und ich gab ihnen Münzen, die sie staunend betrachteten, dann fingen Sie an zu hopsen und zu tanzen, doch auf einmal hielten Sie erschreckt inne. Ein Hornsignal, das mich auch in meinem Traum erreichte, ließ sie innehalten.

Ich fuhr auf. Lene saß schon aufrecht neben mir und deutete auf das kleine Zelt des Strandwächters, neben dem eine Fahne wehte. »Ich muß los«, sagte sie und sprang aus der Vertiefung und lief über die Dünen hinüber zum Strand, wo sich einige Leute eingefunden hatten, auch Opa Klaas war unter ihnen, er, der Erfinder der Kajakmeisterschaften. Der alte bärtige Strandwächter sagte mir, daß diesmal nur ein sogenannter Zwischenlauf stattfinden sollte, jeder könne daran teilnehmen, auch Feriengäste, in einem der Leihboote, die am Strand bereitlagen. Eine Leine, die zwischen zwei Kanistern auf dem Wasser schwamm, bezeichnete die Startlinie.

Opa Klaas, eine Leuchtpistole in der Hand, trat heran und gab Anweisungen und ermahnte Teilnehmer und Zuschauer, und als er mich entdeckte, winkte er mich gleich zu sich: »Zeig mal, was du kannst, Jan, du kannst mein Kajak nehmen.« Mit einem Schuß rief er die Teilnehmer an die Startlinie, sechs Boote insgesamt. Die Teilnehmer grüßten einander mit einem Heben der Hand, mit einem auffordernden Nicken oder mit einem Lächeln. Um keinen Frühstart zu verursachen, bändigten sie ihre leichten Boote vor der Startlinie mit kurzen, kräftigen Schlägen. Neben mir, wie festgewachsen, saß Lene in ihrem Kajak, man konnte sie für ein Wasserwesen halten, das so zur Welt gekommen ist. Beidhändig hielt sie ihr Paddel, stechbereit, einmal strich sie leicht darüber hin, man konnte es als Ermunterung verstehen.

Gleichzeitig mit dem Startschuß wurde die Leine eingezogen, und der Wettkampf begann. Es war kein ruhiger Start. Plötzlich waren da Schreie zu hören, Kommandos, Anfeuerungsrufe, sie kamen nicht vom Strand, die Teilnehmer selbst waren es, die sich laut äußerten, die versuchten, einen Druck loszuwerden, sich zu fordern, hochzuputschen. Auf gleicher Höhe mit Lene sah ich, daß ihr Gesicht nicht nur Gelassenheit zeigte, sondern streng und verbissen war, und ich hörte ihre Rufe, mit denen sie sich Kraft und Ausdauer abverlangte, mitunter hörte es sich an wie ein Stöhnen, ein Ächzen. Ich versuchte an ihr vorbeizuziehen, ich zog und schaufelte und tauchte so hastig ein, daß ich nicht meinen Rhythmus einhalten konnte, es gelang mir nicht, sie hinter mir zu lassen. Sie zog länger durch als ich, anscheinend auch kraftvoller, und als ich bemerkte, daß sie mich mit Handzeichen anspornte, empfand ich sie als meinen wichtigsten Rivalen. Doch nachdem ich eingesehen hatte, daß sie uneinholbar war, gab ich nach, paddelte aus Mutlosigkeit nur mechanisch weiter, und hatte mich bereits mit einem hinteren Platz abgefunden. Aber auf einmal, als hätte Schwäche sie überkommen, ließ sie sich fallen, so daß ich zu ihr aufschließen konnte, auf gleicher Höhe paddelten wir auf das Ziel zu, gingen Boot an Boot durchs Ziel unter dem Beifall der Zuschauer am Strand. Übermütig oder weil geschehen war, was sie insgeheim beabsichtigt hatte, führte sie ihre Glanznummer vor, kippte seitwärts ab, tauchte prustend wieder auf und saß in der gleichen Haltung in ihrem Kajak wie beim Wettkampf.

Nach dieser Eskimorolle ließ Opa Klaas es sich nicht nehmen, uns zu beglückwünschen, mit seinem üblichen Händedruck, der länger als gewöhnlich dauerte, dabei schaute er jeden von uns so dringend an, als erwartete er eine Erklärung. Nach dem Glückwunsch gab er uns zu verstehen, daß wir nunmehr einen Wunsch frei hatten im *Blinkfeuer*, auf Abruf. Ich gratulierte Lene, sie gab mir einen Klaps auf die Schulter.

Wie von selbst entstand das Verlangen, mit ihr allein zu sein, wir verständigten uns wortlos, gingen zum *Blinkfeuer* hinauf, und ich brachte sie durch die Hintertür in mein Zimmer, einen ehemaligen Abstellraum, in den man mir ein Bett hineingestellt hatte, ein ausladendes Bett, in dem eine ganze Inselfamilie Platz gefunden hätte. Lene setzte sich nicht, sie hechtete aufs Bett. Nacheinander hob sie die Bücher auf, die ich am Kopfende gestapelt hatte, überflog die Titel, legte sich achselzuckend zurück und sagte: »Ich habe Hunger, Jan!«

Da bei Opa Klaas zu jeder Tageszeit belegte Brote zu haben waren, holte ich aus der Glasvitrine in der Gaststube Brotscheiben mit Jagdwurst, mit gebratener Makrele und mit Kräuterkäse, füllte ein Glas Buttermilch ab und servierte Lene alles auf einem handbemalten Tablett. So nachdenklich, wie sie aß, habe ich noch nie jemanden essen gesehen: Nach jedem Bissen schloß sie die Augen, atmete kaum, saß regungslos da und abwartend, nicht anders, als gelte es, etwas zu ergründen oder wiederzuentdecken, einen erhofften Geschmack, ein vertrautes Aroma. Ich half ihr dabei, das Tablett leer zu essen. Dann holte ich hervor, was ich unter meinem Pullover verborgen hatte und was Lene aufjauchzen ließ: zwei Masken, die ich im Vorbeigehen aus dem beschlagnahmten Stapel im Schrank genommen hatte – die Wildkatze und den Drachen. »Damit wir uns wiedererkennen«, sagte ich. Wir setzten die Masken auf, wir schnurrten und fauchten uns vergnügt an, wir spielten das Spiel, das die Masken uns nahegelegt hatten. Nachdem ich sie einmal rasch, wenn auch ungenau, geküßt hatte, sagte Lene: »Jetzt hat der Drache den Tiger geküßt«, und ich sagte: »Ein Datum in der Evolution.«

Wir lagen eng zusammen, und ich konnte nicht aufhören, auf die Geräusche im Haus zu achten, auf Schritte, Stimmen, auf das Schließen einer Tür. Lene spürte wohl meine Nervosität oder Besorgnis, sprach leiser auf einmal, ohne ihre Liebkosungen zu unterbrechen. Sie fragte mich, ob wir nicht zusammen verreisen sollten, Spanien, sie dachte an Spanien, dies war das Land, das sie kennenlernen wollte. Sie hatte viel gehört über Spanien, über die Schönheit des Landes und über die Freundlichkeit der Menschen, mit mir wollte sie dieses Land entdecken. Auf ihren Vorschlag beschlossen wir, das Geld, das wir durch gelegentliche Tätigkeit verdienten, sie bei ihrem Vater, ich bei Opa Klaas, zu sparen. In unseren Plan verliebt, zweifelten wir nicht, daß genug zusammenkäme. Eine stille Freude erfüllte uns, nun, da wir den Anfang einer Gemeinschaft bestimmt, einen Teil unserer Zukunft bewirtschaftet hatten. Lene sprang auf. Sie nahm die Maske ab und schob sie unter mein Kopfkissen. Mit einem Ausdruck schmerzlichen Bedauerns sagte sie, daß sie nun leider gehen müsse, man erwarte sie zu Hause. Ich hielt sie fest. Erst nachdem wir uns für den nächsten Tag verabredet hatten, an ihrem Lieblingsplatz auf der Düne, ließ ich sie gehen. Heftiger wurde ich nur selten geküßt. Durch das Fenster sah ich ihr nach, wie sie davonging, sah, wie sie beim Gehen ab und zu kleine

Hüpfer einlegte, ein Ausdruck ihrer Freude, so kam es mir vor. Den beiden Entenjägern, denen sie begegnete, wünschte sie Glück, indem sie ihnen einen gestreckten Daumen zeigte.

Noch während ich ihr nachblickte, kam Opa Klaas zu mir herein; bevor er sich auf den einzigen Stuhl setzte, sah auch er durchs Fenster, murmelte etwas und schüttelte sacht den Kopf. Er hatte mir etwas zu sagen. Der bedenkliche Ausdruck seines Gesichts ließ mich ahnen, daß er Kummer hatte. Bevor er mir den Grund seines Besuches nannte, bat er mich, ihn zu verstehen: »Du mußt mich verstehen, Jan.« Nicht nur ihm, auch anderen sei aufgefallen, daß sich da etwas anbahne zwischen Lene und mir. An und für sich habe er nichts dagegen, sagte er, Lene sei eine Erscheinung, die viel für sich hat, die man gern anschaut; so drückte er sich aus. »Du mußt aber wissen, Jan, daß sie die Tochter von Albert Jensen ist, dem Netzemacher.« Eine Weile zögerte er weiterzusprechen, dann aber vertraute er mir bekümmert an, daß Albert Jensen sein Schuldner sei, sein größter Schuldner. »Mehr als einmal, Jan, habe ich schon an Zwangsvollstrekkung gedacht. Diesen Schritt kann ich nicht gehen, schließlich sind Albert und ich Schulfreunde!« Ich weiß nicht, was genau er nach diesem Bekenntnis von mir erwartete, ich vermutete lediglich, daß er mir anheimstellte, meine eigenen Schlüsse zu ziehen. Als er ging, noch bei offener Tür, nickte er mir auffordernd zu und sagte: »Ich hoffe, daß du mich verstanden hast.« Ich mußte an Lene denken, an unsere Verabredung auf der Düne, und ich stellte mir vor, wie ihr Vater reagieren könnte, wenn er erfuhr, daß sie schon wieder mit einem aus dem *Blinkfeuer* verabredet war; als Schuldner ist man oft nicht gut zu sprechen auf den, in dessen Schuld man steht. Um nicht mit leeren Händen an ihrem Lieblingsplatz zu erscheinen, ging ich zu Madsen und kaufte eine Tüte Karamellbonbons, für alle Fälle auch einen Riegel Bitterschokolade.

Zwei Männer von der Küstenwache, die ich sogleich wiedererkannte, erregten meine Neugier. Sie kannten sich aus bei uns, zielbewußt gingen sie auf den großen Schuppen von Lenes Vater zu, klopften gegen das Tor, riefen. Während sie warteten, fiel ihr Blick auf das Netzwerk, das zwischen Pfählen aufgehängt war, ein Grundnetz, mehrere Reusen. Ein Mann zog ein Maßband aus der Tasche, der andere überprüfte mit gespreizten Fingern die Größe der Maschen, mitunter hob er in anklägerischem Triumph eine vermessene Masche hoch, geradeso, als hätte er sie einer Unredlichkeit überführt. Sie prüften, sie maßen, sie taten es schweigend. Eine Aalreuse hatte offenbar ihren besonderen Argwohn hervorgerufen, sie nahmen sie vom Pfahl ab und warfen sie auf den Weg, bereit zum Mitnehmen. Noch bevor ich am Schuppen war, zogen sie ab.

Lenes Vater erstaunte mich. Er war wütend, der alte Mann, er ballte die Faust, aber sagen wollte er nicht mehr als »Pfennigscheißer«. Auch eine Drohgebärde, die er gegen den Horizont richtete, fiel ihm ein, gehorsam ließ er sich von Lene ins Haus führen. Meine Zeichen – Zeichen der Anteilnahme, der Beschwichtigung – schien sie nicht zu bemerken, vermutlich, weil sie den alten Mann mit größter Fürsorglichkeit führte, um ihn vor einem Straucheln oder gar Sturz zu bewahren. Die Art, wie sie ihn über die drei Stufen vor dem Haus brachte, berührte mich, und ich stellte mir vor, wie sie seine Lagerstatt ins Auge faßte, ihn zog und leitete und sanft niederdrückte und dann eine Decke über ihn breitete, bevor sie einen Schemel heranrückte und darauf wartete, daß er einschlief – so, wie es einst ihre Mutter wohl getan hatte, die bis zu ihrem Tod im Haus einer Krankenschwester ausgeholfen hatte.

Meine Befürchtungen behielten nicht recht.

Lene kam zu unserer Verabredung. Sie saß bereits am ausgemachten Platz, als ich den Kamm der Düne erreichte. Zu meiner Überraschung war sie nicht allein. Cornelia saß neben ihr, klopfte mit flacher Hand auf den Boden, als Aufforderung, Platz zu nehmen. Sie bat mich um eine Zigarette und geriet ins Schwärmen, über die Urtümlichkeit der Landschaft, über die Lichtstreifen auf dem Meer und sogar über die Inselgesichter, in denen sie eine gewisse Besonderheit entdeckt haben wollte. Wir konnten nicht anders, wir hörten ihr nur schweigend zu. Nachdem sie uns mit allem vertraut gemacht hatte, was uns umgab und was wir besaßen, hob sie ihren Zeichenblock auf den Schoß und blätterte ihn auf. Wie schon einmal erkannte ich den Kaufmann Madsen mit seinem süßsauren Lächeln, den Leuchtturmwärter Künzel mit seiner gefurchten Stirn, Opa Klaas, der einmal mehr bewies, welch ein angestrengter Zuhörer er war, mit schräggelegtem Kopf und offenem Mund, schließlich auch Strandwächter Eggers, der seinen Bart wild wachsen ließ.

Wer weiß, was sie selbst erwartete, als sie uns mein Porträt zeigte, sie hielt es uns fragend hin, dies Gesicht, auf dem der Ausdruck einer Weigerung lag, ich sah mich mit zusammengepreßten Lippen und starrem Blick, auch einen Zug von Naivität mußte ich erkennen, jedenfalls glaubte ich beim Anblick meines Porträts jemanden vor mir zu haben, der die Geräusche der Welt nicht in sich eindringen lassen will. Lene, die taxierend auf mich und das Porträt blickte, sagte: »Ja, das bist du, Jan, dir kannst du nicht entkommen.« In ihrer Stimme lag ein Ton des Bedauerns. »Und wie findest du dich?« fragte mich Cornelia, und ich darauf, nach abermaligem Prüfen: »Na ja«, mehr fiel mir nicht ein. Lene ließ sich noch einmal den Zeichenblock geben, fuhr mit dem Zeigefinger über meinen Mund, meine Augen und schüttelte den Kopf und sagte: »Ob du es glaubst oder nicht, Jan, aber mit der Maske warst du ein anderer.« Ich war so erstaunt, daß ich sie nicht darum bat, ihr Urteil zu begründen. Ich signierte mein Porträt, wie es Cornelia wünschte, gab es ihr zurück und sagte: »Je länger ich mich anschaue, desto mehr erkenne ich mich.« Cornelia sagte: »Das freut mich.« Mir lag an Lenes abschließendem Urteil, doch sie hatte kein Wort für das Porträt, sie stand auf und sagte nur: »Ich wünsche gute Unterhaltung«, und dann ging sie, ohne uns die Hand zu geben. »Was hat sie?« fragte Cornelia, »verstehst du das?« Ich konnte ihr nicht antworten, ich blickte Lene nach in der Erwartung, daß sie sich noch einmal umwenden und uns zuwinken würde, einfach, weil es hier zum Abschied gehört, doch sie tat es nicht.

Auch am nächsten und am übernächsten Tag sah ich Lene nicht wieder, ich begegnete ihr weder im *Blinkfeuer* noch in der Werkstatt ihres Vaters, der mir nicht viel mehr sagen konnte, als daß sein Mädchen – so nannte er sie – über einer Arbeit sitze und versuche, etwas ins reine zu bringen. Es schien ihm nicht unangenehm zu sein, daß ich mich nach Lene erkundigte, er war aber nicht bereit, sie aus ihrem Zimmer herauszurufen. Ich mußte akzeptieren, daß er es ihr überließ, Entscheidungen für sich selbst zu treffen, wenn die Zeit dafür gekommen ist.

Aber dann kam der siebzigste Geburtstag von Opa Klaas. Es war windstill, es war ein warmer Abend. In der Hoffnung auf Freibier und ein Feuerwerk fanden sich viele ein, junge Leute zündeten ein Feuer aus getrocknetem Schwemmholz an und sangen zur Gitarre. Das Boot der Küstenwache glitt gemächlich vorbei und nahm Kurs auf die freie See.

Überrascht waren alle, als Timmsen auf der Terrasse erschien, er, der wohl der wortkargste Mann auf der Insel war und den sie nur den Knurrhahn nannten. Wo er auftauchte, war Gewalt nicht fern. Wie immer begleitete ihn sein Hund, den er auch in seinem Boot mitnahm, wenn er zu den Stellnetzen hinausfuhr. Arno nannte er ihn. Wie gelenkig dieser Hund war, hatte er uns bereits mehrmals bewiesen, und offenbar wollte er auch am Geburtstag von Opa Klaas ein Beispiel für seine Dressurkunst geben.

Mit einer straffen Bewegung lenkte er die Aufmerksamkeit des Hundes auf sich und befahl: »Arno, begrüß die Gäste!«, und nach kurzem Zögern erhob sich der Hund auf die Hinterbeine, nickte, probierte eine Verneigung, die ihm allerdings nur halbwegs glückte, und schlug die Vorderpfoten aufeinander. Kaum hatte Arno das Stück Würfelzucker verschluckt, das er zur Belohnung erhielt, wurde ihm befohlen, seine Freude zum Ausdruck zu bringen: »Los, Arno freut sich!« Der Hund gehorchte, indem er kleine Sprünge machte und in hoher Tonlage kläffte, im Unterschied zu dem Brummen, als ihm befohlen wurde: »Arno ist müde und will schlafen.« Wie gehorsam und überzeugend er sich ausstreckte.

Während Arno einen schlafenden Hund darstellte – und dabei sogar unwillig ein Insekt vertrieb, das sich auf seine Schnauze gesetzt hatte –, unterbrach einer der Gäste die gefällige Vorstellung. Es war einer der Rheinländer, der sich ohne

Ankündigung erhob, sein gefülltes Bierglas nahm und es lachend über den Hund auskippte. Arno blinzelte, schoß hoch, bellte den Rheinländer an, und gereizt durch Zurufe verbiß er sich in das Hosenbein des Störers, zerrte und jaulte. Timmsen konnte dem Treiben seines Hundes nicht gleichgültig zusehen, langsam stand er auf, und mit einer Ruhe, die bereits Unheil ankündigte, war er mit wenigen Schritten bei dem Rheinländer und versetzte ihm einen Schlag, der jeden von den Beinen geholt hätte. Weniger der Schlag als vielmehr die Art, wie Timmsen danach seine Hände gegeneinanderrieb, so daß man annehmen mußte, er habe sie sich schmutzig gemacht, schien die Zuschauer zu empören. Sie protestierten, sie schimpften, sie drohten, ihr Zorn machte sie beweglich; Timmsen konnte sich nur abducken unter den Schlägen. Es gab aber auch einige, die sich bereitfanden, ihn zu verteidigen, und sich gegen die Angreifer wandten, und da ihre Fäuste ihnen nicht genügten, griffen sie nach allem, was sich ihnen anbot: Stühle und Gläser. Wie rasch da ein Stuhl zerbrach, und wie handlich sich ein Stuhlbein erwies zur Bekräftigung der eigenen Argumente. Gläser zerbrachen erst, wenn sie auf den Boden fielen. In die heftigen Wutschreie mischten sich einzelne Schmerzensschreie, die einen empfindlichen Treffer bezeugten. Interessiert sah ich der Auseinandersetzung zu, und da ich sie nicht zum ersten Mal erlebte – beinahe an jedem zweiten Wochenende konnte man im *Blinkfeuer* Zeuge solcher Unstimmigkeiten werden –, kam mir das Ganze wie eine einstudierte Aufführung vor.

Auch Opa Klaas beobachtete eine Weile interessiert die gewaltsamen Überzeugungsversuche, zählte wohl auch still mit, was da brach und in Scherben ging, und als es ihm genug schien, entschloß er sich, einzuschreiten. Mit einer Stimme, die sich wie der Ausläufer eines Sturms anhörte, forderte er: »Friede, verdammt noch mal, Ruhe, aber gleich!« Einmal rief er auch: »Saubande, still jetzt!« Da seine Ermahnungen und Appelle ohne Wirkung blieben, entschloß er sich zu einer Handlung, die ich ihm nicht zugetraut hätte: Er ging zu dem Schrank, in dem die konfiszierten Masken lagen, schloß ihn auf, verharrte vor dem offenen Schrank und vergewisserte sich, daß man ihm jetzt zusah, griff hinein und zog wahllos mehrere Masken heraus. Mit dem Ruf: »Da habt ihr, was ihr braucht!«, warf er die Masken einzeln den Anwesenden zu, fast behutsam und so, daß die Masken für einen Augenblick durch die Luft zu segeln schienen. Jubel antwortete ihm. Hände reckten sich, fingen ab, was da heransegelte, der erfolgreiche Fänger trennte sich sofort von seinem Nachbarn, bemüht, die Beute ungestört anzulegen. Einige gab es, die sich schnell begutachten ließen; ich konnte beobachten, daß es auch zu einem Maskentausch kam. Mir entging nicht, daß Timmsen zu den glücklichen Fängern gehörte. Was er hatte ergattern können, zeigte sich erst, als er es unter Drohungen seinem Hund anprobierte; es war die Maske eines Igels, die Arno zum seltsamsten Lebewesen im *Blinkfeuer* machte. Freudig wurde Arno begrüßt, man lockte, man streichelte ihn, hier und da verwöhnte man ihn mit einem Zuckerstück oder mit einer Wurstscheibe. Ich mußte glauben, daß Arno all diese Zuwendungen genoß; seine Purzelbäume konnte ich nicht anders deuten.

Nach einer ganzen Weile erschien Opa Klaas wieder auf der Terrasse. Mit Beifall wurde er empfangen. Er bewegte sich unsicher, suchte nach einer stützenden Hand, die er von Jonas erhielt, dem Schwimmlehrer; wer Opa Klaas kannte, wußte sogleich, daß er sich gründlich beglückwünscht hatte mit *Windstärke 11*. Mit geschlossenen Augen, sein Standbein wechselnd, hörte er die Rede an, die Jonas auf ihn hielt, erfuhr also, daß er als Inselwirt ein

Helfer gewesen sei in trüben Tagen, daß er für Beladene immer ein offenes Ohr habe und daß jeder im Irrtum sei, der annehme, bei Opa Klaas allein trinken zu müssen. Auf ein Zeichen von Opa Klaas wurde ein Kasten Bier herausgebracht und alle wurden aufgefordert, sich zu bedienen. Er selbst ließ sich eine geöffnete Flasche reichen, hielt sie gegen die Zuhörer und fand nach einigem Nachdenken zu der Aufforderung: »Na, denn prost.« Was ihm dann zugerufen wurde, war nicht zu verstehen, denn die Zurufe wurden übertönt von einigen Böllerschüssen und dem wilden Prasseln von Knallfröschen.

Vom Kamm der Düne wurden Leuchtraketen übers Meer hinausgeschickt, die zischend aufstiegen, vor dem Niedergehen explodierten und dabei einen Silberregen entließen. Jetzt konnte ich Laute der Begeisterung hören.

Ich spürte, daß mich jemand am Ärmel zupfte, einmal und noch einmal, im zuckenden, im huschenden Licht der Feuerwerkskörper sah ich, was mir im ersten Augenblick wie eine Sinnestäuschung vorkam: Neben mir, in Brusthöhe, erschien eine Maske und starrte mich an, der Drache, meine Maske. Ein Junge trug sie. Als wollte er sich angemessen verhalten, produzierte er einen Angstlaut, ein stoßweises Fauchen, dem er dann ein meckerndes Lachen folgen ließ. Ich wußte, woher er die Maske hatte; ohne eine Erklärung nahm ich sie ihm ab, und da er quengelte und maulte, drohte ich ihm und ließ ihn stehen.

Ich suchte Lene, ich fand sie im *Blinkfeuer*: die Fröhlichkeit schien sie nichts anzugehen. An einem Ecktisch saß sie für sich allein und starrte vor sich hin, das Kinn in beide Hände gestützt. Noch bevor ich hinter ihr stand, erkannte ich, daß es mein Porträt war, das sie auf dem Tisch ausgebreitet hatte; als ich sie fast berühren konnte, sah ich sogar die mit Bleistift geschriebene Zahl, »5 Euro«, offenbar hatte Cornelia selbst ihre Arbeit ausgezeichnet. Als ich Lene eine Hand auf den Nacken legte, stand sie erschreckt auf und musterte mich wie ertappt, doch nur für einen Augenblick, denn gleich rollte sie das Porträt zusammen und verschwand im Nebenraum. Ich wartete auf ihre Rückkehr und legte meine Maske an. Nicht freudig, unwillig betrachtete sie mich, und als ich sagte: »Nun sind wir uns wieder näher«, wandte sie sich ab und ging rückwärts einige Schritte von mir fort. Ich folgte ihr. Ich streckte beide Hände aus, um sie zu berühren, zu umfassen. Sie sagte: »Bitte nicht«, und sagte dann entschieden: »Geh weg, du.« Ihre Stimme klang so zurückweisend, daß ich einen Moment zögerte; da trat sie auf mich zu, griff nach meinem Gesicht und riß die Maske ab. Ich spürte nur einen kleinen sengenden Schmerz.

Mit mir sahen auch andere, wie sie entschlossen zum Feuer ging, die Maske über die Flammen hielt und, nach einem suchenden Blick zu mir, die Hand öffnete. Zuerst schien es, als drückte die Maske an einer Stelle das Feuer nieder, aber dann flammte es auf, mein Drache krüllte sich, erhöhte das Feuer, im Lodern entließ er kleine Funken. Ich kam nicht von Lene los, die unerbittlich dastand und das Verschwinden der Maske beobachtete, geradeso, als werde hier eine Strafe vollzogen, die sie selbst verhängt hatte.

Sie ging fort ohne Abschied. Kein Heben der Hand, kein letzter Blick. Während sie fortging, erwiderte sie keinen Gruß, antwortete nicht ihren Leuten, die Fragen an sie richteten. Man hat sie zuletzt auf der Fähre zum Festland gesehen.

Die Sitzverteilung

Sie hatten mich beauftragt, alles für die Ehrung vorzubereiten, die nicht im großen, im sogenannten Übersee-Saal stattfinden sollte, sondern in einem Raum, den manche von uns nur den Sonntagsclub nannten. Es war ein warmer, ein anheimelnder Raum, mit schweren dunkelroten Fenstervorhängen, neben dem schlichten Rednerpult standen die beiden weißen Gladiolensträuße, dahinter zwei Kerzenständer, und von der Stirnseite grüßte eine knapp bemessene Porträtgalerie mit Gesichtern von Männern, die hier in vergangener Zeit geehrt worden waren. Sinnierend, entschlossen, auch fordernd: So blickten sie ins Publikum hinab, bis auf einen bärtigen Kerl, der so selbstbewußt grinste, als wollte er sagen, mir kann keiner etwas vormachen. Fast alle hatten sich die Ehrung auf See verdient. Den Sprengmeister, der sich verdient gemacht hatte bei der Beseitigung von Spezialbomben aus dem

Krieg, hätte man ohne weiteres auch für einen Kapitän halten können.

Nach sorgfältigen Erkundigungen hatte ich Namensschilder drucken lassen, die ich selbst auf die Stühle legte, in der ersten Reihe ein Schild ohne Namen, nur mit dem Titel Bürgermeister, und gleich daneben setzte ich ihn, Kapitän Karsten Klockner, der an jenem Nachmittag geehrt werden sollte. Namenlos, lediglich mit Berufsangabe, reservierte ich ein paar Stühle für die Presse, die beiden Photographen plazierte ich neben den Hinterausgang. Oft genug hatte ich erlebt, wie Teilnehmer in den Club hereinkamen, Bekannte begrüßten, einander zuwinkten, über Stuhlreihen hinweg Verabredungen trafen und dann nach den namentlich gekennzeichneten Plätzen suchten, ihren Plätzen, wobei sie sich mitunter, Entschuldigungen murmelnd, dicht aneinander vorbeizwängten. Manche schienen enttäuscht, daß sie den ihnen zugedachten Platz nicht in der ersten, sondern in der dritten Reihe fanden, andere lächelten zufrieden bei der Entdeckung, daß man ihnen das Geschenk der dritten Reihe gemacht hatte.

Es war mir gelungen, ein Photo der *Britta* aufzutreiben, des betagten Holzschoners, den Karsten Klockner fünf Jahre als Kapitän gefahren hatte, immer nur auf Ost- und Nordsee; ich ließ das Photo vergrößern und auf einer Tafel befestigen. Fast jeder, der in den Raum kam, warf einen Blick auf das Schiff, das bei ruhiger See an einer Insel vorbeipflügte, ein mächtiges Schiff mit erstaunlichen Aufbauten; bei jeder Reise nahm die *Britta* auch einige Passagiere mit. Für einen der Passagiere, die auf der letzten Reise an Bord waren, hatte ich einen Stuhl in der ersten Reihe reserviert; es war ein pensionierter Lehrer, der von der beabsichtigten Ehrung erfahren hatte und unbedingt teilnehmen wollte. Heinsohn hieß er; die Rettungsweste, die er an Bord immer getragen haben soll, war sein Glück gewesen. Seine Versuche, mit einem der Versicherungsleute ins Gespräch zu kommen, mißlangen – ich hatte zwei von der Gesellschaft Securitas Maritim ebenfalls in die erste Reihe gesetzt, den Direktor und dessen Rechtsberater.

Einer war offenbar nicht einverstanden mit dem Platz, den ich ihm zugedacht hatte; ich beobachtete, wie Riedel, einst Funker auf der *Britta*, Namensschilder von den Stühlen hob, auch sein Namensschild, und ruhig etwas erwog und kalkulierte und die Schilder dann zurücklegte – jedoch so, daß er nun, statt in der Mitte, am äußersten Rand einer Stuhlreihe sitzen sollte! Riedel hatte damals den

Funkspruch gleich auf die Brücke gebracht und Kapitän Klockner darüber informiert, daß die *Britta* bei gleichbleibendem Kurs in ein Sturmgebiet hineinfuhr, der Fährverkehr sei bereits eingestellt, ein Fischerboot sei dort gesunken. Ruhig hatte der Kapitän diese Information zur Kenntnis genommen, nach einem prüfenden Blick auf die Seekarte hatte er sich entschlossen, den Kurs beizubehalten. Auch nach einem kurzen Gespräch mit Steuermann Fritsche – ich hatte einen Platz für ihn in der zweiten Reihe vorgesehen, unmittelbar hinter dem Stuhl für den Bürgermeister – war der Kapitän bei seinem Entschluß geblieben. Er soll zu seinem Steuermann gesagt haben: »Diesen Sturm, Klaus, sitzt unsere *Britta* bestimmt aus.« Sie kannten einander lange, schon auf der Seefahrtsschule waren sie Freunde gewesen, und nachdem sie zunächst auf verschiedenen Routen gefahren waren, war es ihnen geglückt, gleichzeitig an Bord der *Britta* zu kommen.

Fritsche saß in der Nachbarschaft eines Reedereivertreters und gab ein Beispiel dafür, wie unwillig man Fragen beantworten kann; jedes Mal, wenn er angesprochen wurde, überhörte er zunächst die Frage und ließ sich die Worte wiederholen, oder er ließ es mit einem Kopfschütteln oder einem Heben der Schultern oder einem Nicken genug sein. Mit Kapitän Klockner wechselte er nur einen flüchtigen Handschlag, es hatte den Anschein, als hätten die beiden Männer sich nichts mehr zu sagen. Es wunderte mich nicht, denn ich hatte von zwei Seiten erfahren, daß Fritsche vorgeschlagen hatte, einen Hafen an der norwegischen Küste aufzusuchen oder das Sturmgebiet zu umfahren, doch der Kapitän hatte auf seiner Entscheidung beharrt, und so war es zu der Prüfung für Schiff und Besatzung gekommen.

Ein Stuhl in der zweiten Reihe blieb leer, ich hatte ihn für Christian Gusik reserviert, von dessen Anwesenheit an Bord niemand – oder genauer: zunächst niemand – etwas gewußt hatte, erst als die *Britta* das Sturmgebiet erreicht hatte, rollte und unter schweren Brechern erzitterte, verließ er den Proviantraum, in dem er sich versteckt hatte, fand den Weg zur Brücke und gab sich Kapitän Klockner als blinder Passagier zu erkennen. Der Kapitän hatte Erklärungen gefordert, und nachdem er erfahren hatte, daß Gusik in politische Aktivitäten verwickelt war und sich als politischer Flüchtling ausgab, hatte er beschlossen, den Mann auf der Brücke zu behalten, in einem engen Ruheraum, den er mitunter selbst zu kurzem Schlaf benutzte. –

Das war geschehen, noch bevor die *Britta* das Zentrum des Sturmgebietes erreicht hatte und es für alle erkennbar war, daß das Schiff an Fahrt verloren hatte.

Den Grund dafür hatte Pfeiffer dem Kapitän mitgeteilt – Pfeiffer, der Erste Maschinist des Schiffes, den ich an den Rand der zweiten Reihe gesetzt hatte. Was er meldete, hatte man auf der Brücke bereits wahrgenommen – skeptisch, ungläubig –, es konnte keinem entgangen sein, daß die Maschine der *Britta* nicht mehr arbeitete und vor den anrollenden Wellen querschlug. Sie nahmen Wasser über, tauchten schwer ein, die Wellen waren so hart gegen die Bordwand geschlagen, daß die Gischt bis zur Brücke hinaufflog. Bevor er wieder hinuntergestiegen war, hatte Pfeiffer dem Kapitän versichert, daß sie zu dritt an der ausgefallenen Maschine tätig sein würden und hofften, das Schiff bald wieder auf Kurs zu bringen. Wie ich erfuhr, hatte Pfeiffer dem Kapitän darin zugestimmt, das Hilfsangebot eines Hochseeschleppers nicht sofort anzunehmen. Riedel, der Funker, hatte ihn nicht mit einem Notsignal gerufen, das stand auch nicht zur Debatte, woraufhin der Hochseeschlepper im Sturmgebiet auftauchte und zunächst nur in Sichtweite der *Britta* blieb. Steuermann Fritsche hatte den Eindruck, daß er einfach auf der Suche war, womit er andeutete, daß er auf Beute aus war. Dem Kapitän war nicht entgangen, daß Gusik die Ablehnung des Hilfsangebotes mit Erleichterung zur Kenntnis genommen hatte, und nicht nur dies: Als könnte seine Ermunterung etwas bewirken, hatte er dem Maschinisten zutraulich auf die Schulter geklopft und ihn mit einem Blick voller Bewunderung gemustert. Er hatte auch nicht gezögert, dem Kapitän ausdrücklich zu danken; da er die Nationalität des Hochseeschleppers ausgemacht hatte und fürchten mußte, dorthin zurückgebracht zu werden, wo man ihn sogleich festsetzen würde, vermutete er, daß der Kapitän auch seinetwegen das Hilfsangebot abgelehnt hatte. Für diese hochgemute Auslegung hatte der Kapitän nur ein Kopfschütteln übrig gehabt. – Zuletzt war Gusik gesehen worden, als er sich an ein treibendes Schlauchboot herankämpfte, zum Erstaunen seiner Beobachter in das Schlauchboot hineingelangte und vom aufkommenden, immer stärker werdenden Wind abgetrieben wurde.

Wie ich vorausgesehen hatte, begrüßte es der Vertreter der Reederei, daß ich ihm einen Platz neben den beiden Versicherungsleuten reserviert hatte. Sie schienen einander zu kennen, sie schienen einander auch zu schätzen, Männer, erprobt in geduldigen, niemals lautstarken Verhandlungen.

Daß der Bürgermeister und Kapitän Klockner nicht schweigend nebeneinandersaßen, überraschte mich ebensowenig; obwohl der Bürgermeister gewiß schon wußte, was sich an Bord der *Britta* zugetragen hatte, lag ihm daran, das Wichtigste aus erster Hand zu erfahren, und jetzt hörte er zum ersten Mal den Ausdruck »Monsterwelle«: Als das Schiff schon bedenklich krängte, türmte sich eine Monsterwelle vor ihm auf, es war, als sammelte sich das Meer unter einem nie zuvor erlebten Griff, warf sich hoch, schien zu verharren und schmetterte dann, im Zusammenstürzen, mit solcher Gewalt gegen die Aufbauten, daß zwei Fenster brachen. In dem Augenblick, als dies geschah, hatten sogar die Männer in der Maschine einen Krach gehört, der sie in ihrer Arbeit innehalten ließ. Auf Deck hatte sich ein Stapel Container aus der Befestigung losgerissen, war in einem Zug über Bord gewaschen worden und in der aufgebrachten See davongetorkelt. Der Kapitän hatte sich erkundigt, ob die Arbeit an der Maschine Fortschritte mache, hatte lediglich erfahren, daß man versuche, den Schaden schnellstens zu beheben. Als auch die achtere Decksladung sich aus der Verankerung losgerissen hatte und über Bord gegangen war, sahen sie auf der Brücke, wie der Decksjunge in die aufgebrachte See geschleudert wurde. Zwei Rettungsringe wurden ihm zugeworfen; er erreichte sie nicht. Gewiß hatten sie das auch auf dem Hochseeschlepper beobachtet, sie waren herangedreht und hatten ihr Hilfsangebot erneuert.

Der Rechtsberater des Versicherungsdelegierten erkundigte sich, wie der Kapitän jetzt entschieden habe, und Karsten Klockner brauchte sich nicht lange zu bedenken, in sachlichem Ton erwähnte er, daß er, bei zunehmender Krängung des Schiffes, der Besatzung freigestellt habe, von Bord zu gehen: Als einige Männer an der Luvseite erschienen waren, hatte sich in riskantem Manöver der Hochseeschlepper der *Britta* genähert, sein wulstiger Bug war mehrmals gegen die Bordwand geprallt, war zurückgestoßen worden, war breitseitig herangekommen und hatte so dicht neben dem großen Schiff gelegen, daß beide gleichzeitig von unterlaufenden Wellen angehoben wurden.

Eine abermalige Monsterwelle hatte das Schiff mit solcher Gewalt getroffen, daß auch die Männer in der Maschine glaubten, die *Britta* werde kentern. Der Erste Maschinist hatte die Brücke gefragt, ob es an der Zeit sei, an Deck zu kommen; der Kapitän hatte es ihnen freigestellt, und die Männer in der Maschine drängten zum Niedergang und arbeiteten sich nach oben. Keiner hatte erwartet, daß das Rettungsboot ausgesetzt würde. Dort, wo das Fallreep hing und knapp über dem Hochseeschlepper pendelte, hatte Fritsche gestanden; nacheinander hatte der Steuermann einzelne der Besatzung an die Reling gestoßen oder geschoben, hatte sie aufgefordert, das Fallreep zu ergreifen und hinabzuklettern, sich hinabzulassen auf den Schlepper. – Auf eine kurze Frage des Versicherungsdelegierten erklärte der Steuermann, daß kein Besatzungsmitglied beim Verlassen des Schiffes zu Schaden gekommen sei. Zwei Männer, die ich in die fünfte Reihe gesetzt hatte, bestätigten, daß sie auf dem Schlepper fachmännisch in Empfang genommen worden waren, sie sagten »fachmännisch«.

Einmal schien es so, als hätte die Maschine wieder angefangen zu arbeiten, die *Britta* hatte etwas von ihrer Krängung verloren und sich gegen die auflaufende See gedreht, doch bald hatte das Vibrieren aufgehört, und das Schiff hatte sich allmählich wieder quer gelegt. Der Kapitän war am Fallreep erschienen, als bereits ein Teil der Besatzung die *Britta* verlassen hatte, eine Weile hatte er schweigend zugesehen, wie die letzten sich auf dem

Hochseeschlepper in Sicherheit brachten; als nur noch der Steuermann neben ihm stand, hatte er ihn mit einer Handbewegung aufgefordert, von Bord zu gehen. Der Kapitän soll nur gesagt haben: »Mach's gut, Klaus.« Überzeugt, daß er allein auf der *Britta* war, war er auf die Brücke hinaufgegangen. Noch bevor er selbst eine Sprechverbindung mit der Reederei hergestellt hatte, hörte er an dem scharrenden Dauerton, daß er verlangt wurde. Er meldete sich wie so oft und erklärte, daß er die Besatzung von Bord geschickt habe, er äußerte sich knapp über die Stärke des Sturms, er erwähnte, daß ein Schlepper in der Nähe sei, doch daß er selbst sich entschlossen habe, noch an Bord zu bleiben!

Der Vertreter der Reederei glaubte jetzt bemerken zu müssen, daß es die alleinige Entscheidung des Kapitäns gewesen sei. Auf den Stühlen konnte ich eine widersprüchliche Reaktion beobachten, nickende Bestätigung, leichtes Kopfschütteln. Solange der Kapitän an Bord war, gab es keinen Zweifel am Eigentumsrecht des Schiffes, Karsten Klockner wußte es, und er hatte daran gedacht, als der Hochseeschlepper noch einmal näher kam. Daß er ein erneutes Hilfsangebot abgelehnt hatte, lag daran, daß er gestürzt war und nicht auf die Beine kommen konnte, es war ihm lediglich geglückt, sich zu erkennen zu geben. Während eines abermaligen Gesprächs mit der Reederei hatte man ihm zu verstehen gegeben, daß von seiner Entscheidung viel abhing und daß man in Gedanken bei ihm auf der *Britta* sei und daß man ihm Kraft und Ausdauer wünsche. Eine Aufforderung, an Bord zu bleiben, war nicht ausgesprochen worden. Über seine körperliche Verfassung hatte sich der Kapitän nur knapp geäußert: Bei seinem Sturz hatte er sich eine Prellung der Hüfte zugezogen; die Schmerzen bezeichnete er als aushaltbar, doch hinderlich.

In der Dämmerung – die *Britta* hatte mehrmals Wasser übergenommen – hatte sich ein Passagierschiff gezeigt, hell erleuchtet war es in der Ferne vorbeigezogen, der Kapitän stellte fest, daß es zu keiner Annäherung gekommen war. – Auf die Frage eines Reedereivertreters, ob er bereit gewesen wäre, die Brücke zu verlassen, wenn sich eine Gelegenheit geboten hätte, antwortete er: »Ich weiß es nicht«, und fügte hinzu: »Vermutlich.« Nach mehreren Versuchen war es ihm gelungen, seinen Sitz zu erklimmen, jetzt wurde er gewahr, daß die *Britta* keine Positionslichter führte, nur das Mastlicht brannte.

Man ließ Diering sprechen, Redakteur beim *Horizont*, den ich in die erste Reihe gesetzt hatte; er war an Bord der *Albatros* gewesen und bestätigte, daß sie auf dem Kutter mit besonderem Auftrag ausgelaufen waren, mit Kurs auf die *Britta*. Wie sie erfahren hatten, daß draußen ein Mann an Bord seines Schiffes geblieben war – eines hilflosen Schiffes, dem vielleicht der Untergang drohte –, gab er nicht preis, er beschränkte sich darauf, zu erklären, daß sie in der Redaktion seiner Zeitung beschlossen hatten, dies Ereignis aus der Nähe zu beobachten, von einem Fischkutter aus, den sie mieten wollten. Der Besitzer der *Albatros* hatte sich bereitgefunden hinauszufahren.

Diering hatte den Einfall gehabt, den Kampf eines Schiffes zu dokumentieren, in Wort und Bild, und gleichzeitig wollte er von der Tat eines Mannes berichten, der auf seinem gefährdeten Schiff ausharrte: Die Photographen auf der *Albatros* waren bereits tätig, als ihr Ziel – flach, schwankend – am Horizont auftauchte, für Augenblicke abhanden kam und dann gewaltsam wieder hochgetragen wurde. Sie konnten bestätigen, daß noch ein Mann an Bord der *Britta* war, der gab sich zu erkennen, indem er mit einer Hand winkte; auf ihn richtete sich das größte Augenmerk. Als der Kutter nah genug herangekommen war, versuchte er anscheinend, die Brücke zu verlassen, doch es mißlang ihm, der Mann stürzte, kam aber wieder auf die Beine und wartete wohl darauf, die entscheidende Kraft zum Überwechseln zu finden. Er lag dicht an der Reling. Diering gab zu, daß er sich jetzt mit Hilfe eines Megaphons direkt an Kapitän Klockner wandte, er rief ihm zu: »Wir holen dich hier raus!« Der Versicherungsvertreter erkundigte sich, ob dieser Zuruf verstanden wurde, der Kapitän sagte nur: »Verstanden.« Bei einbrechender Dunkelheit hatten sie auf dem Kutter von neuem versucht, dicht an die *Britta* heranzukommen, einmal hatte es sie so hart gegen die Bordwand der *Britta* geworfen, daß sie beim Zurückstoßen zu kentern drohten.

Anscheinend hatte der Kapitän damit gerechnet, übernommen zu werden, er lag jetzt regungslos an Deck, wie erledigt, besiegt; Diering erkannte es und rief hinauf: »Hallo, Kapitän Klockner, wir sind da, halten Sie aus!« Eine Welle schlug aufs Deck, brach sich und drückte den liegenden Körper gegen eine Entlüftungsklappe. Als hätte Diering einen Zuwachs an Widerstandskraft erzielen können, rief er dem Erschöpften auch zu: »Viele sind in Gedanken bei Ihnen, auch die Gedanken unserer Leser! Der *Horizont* ist bei Ihnen!« Der Kapitän war nicht in der Lage, auf diesen Zuruf zu reagieren.

Diese Erwähnung veranlaßte den Funker, sich an seine Nachbarn zu wenden, fragend schaute er sie an, offenbar vermutete er, auf ihren Gesichtern einen Ausdruck der Verblüffung oder der Geringschätzung zu finden. Er sagte ruhig: »Diese Mutmacher, mein Gott!« Der Bürgermeister schüttelte den Kopf.

Auf der *Albatros* hatten sie den Scheinwerfer eingeschaltet und erstaunt beobachtet, wie Kapitän Klockner nach mehreren Versuchen das Ende einer Leine erreichte, die Leine zu sich heranzog und um seine Hüfte brachte und danach an der Reling befestigte – vermutlich, um nicht von einer Welle über Bord gewaschen zu werden.

Die *Britta* trieb mit zunehmender Schlagseite; auf dem Kutter hatten sie keinen Versuch mehr gemacht, anzulegen, dennoch waren sie in der Nähe geblieben. Die Photographen ließen sich keine Veränderung entgehen, sie waren kaltblütig genug, den Augenblick festzuhalten, in dem das Heck der *Britta* sich aufrichtete. Sie dokumentierten auch die Aktion des Redakteurs Diering, dem es, nachdem er sich hatte anleinen lassen, gelang, vom Kutter auf die *Britta* zu kommen, Kapitän Klockner zu erreichen, ihn loszubinden und mit ihm zu springen. Von Bord des Kutters aus sahen sie, wie die

Britta sank, wie sich die See über der Stelle des Untergangs schloß.

Der Vertreter der Reederei erhob sich lächelnd, es war ein Lächeln der Genugtuung. Bevor er das Wort nahm, öffnete er einen kleinen Kasten und holte das silberne Steuerrad heraus und stellte es auf das Rednerpult; dann wandte er sich an Kapitän Klockner. Er sprach frei. Er sprach über ein Beispiel von Mut und Ausdauer auf See und überreichte Kapitän Klockner unter dem Beifall der Zuhörer das silberne Steuerrad.

Der Ausgezeichnete drehte und betastete das Steuerrad, hob es an die Augen, hielt es ein wenig von sich und stand da, als müßte er sich bedenken. Die Männer auf den Sitzen kamen nicht von ihm los, sie saßen da wie angeleimt, warteten auf etwas, wovon sie nicht wußten, was es sein könnte. Sie mußten zusehen, wie Kapitän Klockner überraschend an den Redakteur Diering herantrat und ihm wortlos mit einer angedeuteten Verbeugung das silberne Steuerrad überreichte, sich noch einmal verbeugte und dann zu seinem Platz ging. Jetzt, dachte ich, jetzt muß die Stille ihr Ende finden. Es rührte sich keine Hand.

Ein Entwurf

Sie brachten mich in ein Doppelzimmer im Ufer-Hospital. Die grauhaarige Frau in der Aufnahme, die meine Personalien in einen Fragebogen schrieb, machte mich darauf aufmerksam, daß ein Bett bereits belegt war. Dann nannte sie den Namen meines Stationsarztes – Dr. Paulsen – und die Namen der beiden Stationsschwestern, Frau Gantz und Frau Pückler, und wünschte mir einen erfolgreichen Aufenthalt. Während man mich im Rollstuhl zu meinem Zimmer schob, konnte ich durch ein Fenster auf die Kreuzung hinabblicken, auf der der Laster meinen kleinen Fiat gerammt und gegen einen Lichtmast geschleudert hatte. Die Kreuzung war bereits leer, nichts erinnerte mehr an meinen Unfall. Bevor wir Zimmer 12 erreichten, sagte der Helfer: »Vielleicht kennen Sie Ihren künftigen Nachbarn bereits, er ist Schriftsteller, ein friedlicher Mann, sein Name ist Haller, Fred Haller.« Ich hatte den Namen noch nie gehört, und in diesem Augenblick war es mir gleichgültig, wie mein Nachbar hieß und was er war. Meine Schmerzen dämpften die Neugierde. Bei meinem Erscheinen richtete sich der Schriftsteller mit einem Schwung auf, setzte sich auf die Bettkante und streckte mir seine Hand entgegen, eine fleischige, ruhige Hand, die er mir so dauerhaft anbot, als wollte er das Willkommen verlängern oder betonen. Nachdem er seinen Namen genannt hatte, sagte er: »Auf gute Nachbarschaft«, und auf seinem Gesicht erschien ein zufriedenes Lächeln. Für einen Moment hatte ich das Gefühl, einen Vertragsabschluß besiegelt zu haben.

Es interessierte ihn nicht, was ich aus der Reisetasche herauszog und auf den Nachttisch legte, er blickte auf die belebte Elbe hinab, als ich den Reisewecker aufstellte, ein Photo meiner Rudergemeinschaft mit dem erfolgreichen Vierer mit Steuermann und die letzte Ausgabe des *Spiegels* und des *Hamburger Abendblatts* dazulegte. Auf seinem Nachttisch stand nur das Photo einer schlanken, schwarzgekleideten Frau mit ebenmäßigen Gesichtszügen, die auf etwas zu warten schien, nicht besorgt oder gar ängstlich, sondern gelassen. Wir verzichteten beide darauf, den Grund unseres Aufenthalts zu erwähnen, er sagte lediglich, daß wir bei diesem Stationsarzt in guter Obhut seien, Doktor Paulsen gelte nicht nur als guter Arzt, sondern habe sich ihm auch als bewandter Leser gezeigt, was er im übrigen bei etlichen Medizinern festgestellt habe. Als hätte er sich selbst ein Stichwort gegeben, deutete er auf einen Hocker neben seinem Bett, auf dem mehrere Bücher lagen, und sagte: »Falls Ihnen die Lektüre ausgeht.« Um ihm für sein Angebot zu danken, bot ich ihm aus meiner Schachtel mit gefüllten Pralinen an; er wählte eine Krokantkugel, aß sie jedoch nicht gleich, sondern legte sie vor das Photo: »Für später!« Für diese Entscheidung entschuldigte er sich. Er entschuldigte sich auch bei der Ankündigung, jetzt ein wenig schlafen zu wollen, er sei wenig zur Ruhe gekommen in der letzten Zeit, er müsse etwas nachholen. Seufzend streckte er sich aus und zog die Decke über seinen Kopf, warf sie aber bald unwillig ab, denn nach einem Klopfzeichen wurde die Tür geöffnet und Schwester Pückler schob den Servierwagen herein. Tee oder Kaffee gab es zur Auswahl, dazu warme Berliner. Mit der Bemerkung »So, jetzt kommt etwas zur Belebung« servierte sie uns am Bett, was wir gewünscht hatten; Haller wollte auf seinen Berliner nicht verzichten. Er lobte den mit Marmelade gefüllten Kuchen, gern nahm er auch meinen an und ließ erkennen, welchen Genuß ihm das Gebäck bereitete. Bevor sie ging, fiel der Schwester der wohl oft gebrauchte Satz ein: »Ich hoffe, es wird Ihnen bei uns gefallen.«

Die Ruhe, nach der es den Schriftsteller verlangte, fand er nicht, denn wir blieben nicht lange allein. Kaum hatte er sich ausgestreckt, da erschien eine Frau, die ich vom Photo her sogleich wiedererkannte, sie hatte ein besonderes Klopfzeichen gebraucht, das mir wie ein familiärer Code vorkam, dreimal rasch geklopft und danach zweimal nach einer kleinen Pause. Sie sah gut aus, obwohl ein Ausdruck von Sorge auf ihrem Gesicht lag. Sie nickte mir nur kurz zu, murmelte einen Gruß und trat an das Bett meines Nachbarn und sagte: »Fred, mein armer Fred.« Nachdem sie den kleinen Strauß auf den Nachttisch gelegt hatte, beugte sie sich über den Schriftsteller, küßte und streichelte ihn und suchte dann erst ein Glas für die Veilchen. Sie fand es im Badezimmer. Dann musterte sie ihn mit einem langen forschenden Blick, nahm seinen Kopf in beide Hände und betastete die Halsstütze. Auf ihre Frage »Schmerzen?« sagte er nur: »Erträglich, Anja«, und leise: »Die Tropfen haben geholfen!« Ihre Blicke ineinander verloren, schwiegen sie eine Weile, vermutlich nicht wegen meiner Gegenwart, sondern weil es zuviel zu erzählen gab und sie über die Schwierigkeiten eines Anfangs hinwegkommen mußten. Als Anja zu schluchzen begann, nahm er ihre Hand und legte sie an seine Wange. Beruhigend sprach er jetzt auf sie ein, mit geflüsterten Worten, die ich kaum verstand, die sie aber erreichten und anscheinend besänftigten. Es waren, wie ich an dem Klang seiner Stimme zu hören glaubte, Worte des Mitleids. Deutlich hörte ich aber seine Frage: »Sven, nicht, du denkst an Sven?« Sie antwortete nicht direkt, schluchzte aber einmal heftig auf und bestätigte so, was er wissen wollte.

Nachdenklich saß er da, ich konnte ihm ansehen, daß er etwas erwog, wieder verwarf, schließlich aber, in gewonnenem Einverständnis mit sich, nickte und aus der Schublade seines Nachttisches ein Heft herausholte, ein gewöhnliches Schulheft. Er hielt es ihr entgegen. Als sie es nehmen wollte, zog er es zurück und verbarg es einen Augenblick hinter seinem Rücken. Er sagte: »Noch nicht, Anja«, und nach einer Pause: »Es ist noch nicht fertig, nur zur Sicherheit hingeschrieben, damit uns einiges nicht abhanden kommt; wir verlieren so viel, unversehens.« »Dann lies mir etwas vor«, sagte sie, »das hast du doch oft getan.« Haller zündete eine Zigarette an, inhalierte ein paarmal und gab die brennende Zigarette wie aus Gewohnheit an Anja weiter, die sie gegen mich hielt und fragte: »Es stört Sie doch hoffentlich nicht?« »Wir beide haben hier Raucherlaubnis«, sagte ich, »allerdings bei offenem Fenster.« Ich drehte mich zur Seite, so, daß ich ihnen den Rücken zukehrte, und legte mein Gesicht auf den Ellenbogen – ein anderes Zeichen der Diskretion fiel mir nicht ein. Haller schien nach einem Text zu suchen, den er für geeignet hielt, jetzt vorgelesen zu werden, geräuschvoll blätterte er in dem Heft vor und zurück, entschied sich dann: »Ja, alles hat seinen Anfang, auch für Sven, für unseren Sven. Das Laufgitter, er und wir und das Laufgitter.«

Mit leiser Stimme, die aber immer deutlicher, immer fester wurde, ließ er einen kleinen Jungen erscheinen, den er schon im ersten Satz Sven nannte. Ich erfuhr, daß dieser Junge, obwohl er noch unsicher auf den Beinen war, die Eigenschaften eines Entdeckers, eines Forschers erkennen ließ, alles in der geräumigen Wohnküche mußte er erkunden, die Blumen auf dem Fensterbrett, den Elektroherd und das Alltagsgeschirr hinter dem Vorhang. Wenn es ihm gelang, einen Blumentopf auf den Boden zu werfen oder die immer gefüllte Gießkanne umzustoßen, stieß er einen gellenden Laut aus, einen

Jubellaut. Auch im Laufgitter, das Sven unermüdlich vermaß, mußte er tätig werden, rüttelte, zog und schlug, erprobte seine Kraft an einzelnen Stäben, bis er einsehen mußte, daß er an eine Grenze gekommen war; da warf er sich hin und schrie und weinte, weinte so bitterlich, als litte er unter Schmerzen. Weil Trostworte ihn nicht beruhigten, griff Anja die beiden Puppen, das Kamel und den Schornsteinfeger, und reichte sie in das Laufgitter hinein. Nach einem Augenblick der Bestürzung nahm Sven die Puppen an sich, warf sie in eine Ecke des Laufgitters und setzte sich zu ihnen und streichelte sie. Er lächelte, und nicht nur dies: Sven streichelte die Puppen auch mit Worten.

Fred Haller unterbrach seine Erzählung, so, als erwartete er etwas von Anja, eine Bestätigung oder Zustimmung. Ich hob den Kopf und wandte mich ihnen zu; sie hielten sich sehr fest bei den Händen, aufgehoben in gemeinsamer Erinnerung. Daß es ihnen aber nicht genügte, länger in ihre Erinnerung hinabzusteigen, wurde erkennbar, als Anja auf das Heft zeigte und auffordernd nickte; sie bat darum, mehr über Sven zu erfahren, ihn deutlicher werden zu lassen, ihren Sven, und die leise Stimme machte ihn wieder gegenwärtig.

Jetzt glaubte ich ihn vor mir zu sehen, den

Schuljungen, der schon früh die Neigung zeigte, Partei zu ergreifen, sich einzumischen, angeblich bereits auf dem Schulhof, während einer Rauferei. Sven konnte nicht teilnahmslos zusehen, wie ein Klassenkamerad gehänselt, gestoßen, mit Fäusten geschlagen wurde, er nahm Partei für den besten Schüler der Klasse, obwohl er selbst einmal zu Boden ging und seine Lippe blutete. Diese Schilderung ging Anja so nahe, daß sie mehrmals »Nein« sagte, »Nein, nein«, Fred Haller bemerkte nur: »So war er.« Daß Sven einmal sitzengeblieben war, erwähnte er fast beiläufig, hob aber hervor, daß Svens Aufsatz über Möwen beim Schulfest vorgelesen worden war, vor allen Klassen. Es entging mir nicht, daß Fred Haller bei seinen Erzählungen bemüht war, Anja zu schonen, manchmal blätterte er in dem Heft einfach weiter, verweilte aber offenbar, wenn er Besonderes zu erzählen hatte.

Um seine Stimme zu verändern, versetzte er Sven auf eine Schute, die fest vertäut gegenüber einer Werft auf der Elbe lag. Immer schon hatte der alte schwarze Schleppkahn dort gelegen, nichts erinnerte mehr an die Fracht, die er einst befördert hatte, man schien ihn vergessen zu haben. Einige aber hatten ihn nicht vergessen, ein paar Halbwüchsige, junge Männer ohne Arbeit, Zeitgenossen ohne festen Schlafplatz. Für sie war der Schleppkahn ein Zuhause, hier fühlte man sich aufgehoben und feierte den Ort an jedem Freitag mit Bier und Aquavit. Für sich entdeckte Sven den Ort, als er an einem Kiosk den Auftrag übernahm, einige Getränke an Bord der Schute zu bringen, man empfing ihn wie einen Wohltäter, betätschelte ihn, lud ihn ein, sich an einen der Klapptische zu setzen. Er entschloß sich, ihre Einladung anzunehmen und seine Leute zu Hause erst am nächsten Tag zu informieren. Zwei Nächte blieb er auf der Schute, zusammengerollt schlief er auf einer Seegrasmatratze dicht neben der Bordwand. Er hörte die Wellen gegen die Bordwand schlagen; und er hörte die Signale der Schlepper und den tiefen gebieterischen Ton großer Schiffe, die vorbeizogen.

Nach einer kurzen Pause wandte Haller sich direkt an Anja und sagte: »Sven liebte das Wasser, die Nähe des Wassers bedeutete ihm viel, bei den Schulmeisterschaften kam er auf den zweiten Platz.«

Mit einigen Gleichaltrigen willigte Sven in das Spiel ein, zu dem sie die Phantasie an Bord der Schute überredete, sie ernannten den schwarzen Lastkahn zu einer schnell segelnden Karavelle, warfen die Leinen los, brachen zu einer Kaperfahrt in südlichen Gewässern auf, wo große Beute winkte. Sven gab das Kommando zum Entern, er, dem alle, ohne zu zögern, die Befehlsgewalt übertragen hatten. Er hatte die Gruppen eingeteilt, für sich hatte er einen Platz unter den Angreifern vorgesehen.

Mit Genugtuung erzählte Fred Haller, wie Sven sich nicht nur behauptete, sondern auch umsichtig kämpfend die eigene Gruppe dem Ziel näher brachte; wem er sich auch zuwandte, der wich vor ihm zurück oder fand sich auf Deck liegend! Aber dann gab Sven dem Spiel eine andere Wendung: Als er den bärtigen Mann vor sich sah, stürzte er sich auf ihn, schob und zerrte ihn zur Bordseite, wo sie miteinander rangen; ineinander verbissen, achteten sie nicht darauf, wo sie sich befanden, jeder war nur noch bemüht, den Kampf für sich zu entscheiden. Zwei Männer trennten sie, brachten sie gewaltsam auseinander. Ich verstand, daß einige die Auseinandersetzung für beendet hielten, doch plötzlich hörten sie einen Schrei und mußten zusehen, wie Svens Gegner mit geöffneten Armen über Bord stürzte und aufs Wasser aufschlug.

Anja stöhnte auf und schüttelte den Kopf, und nach einer Pause sagte sie: »Gewiß ohne Absicht, Sven hat es gewiß ohne Absicht getan.« »Unser

Sven hat zugeschlagen«, sagte Haller darauf. Zunächst war Sven nur erschrocken über die Wirkung seines Schlages, aber dann warf er eine der Leinen hinab, rief seine Leute heran und sprang. Er landete dicht neben dem Schwimmer, der sich verzweifelt über Wasser zu halten versuchte, es gelang Sven, ein Ende der Leine zu fassen und den Schwimmer so zu unterfangen, daß beide an die Schute herangezogen und schließlich an Bord gebracht werden konnten.

Der Schriftsteller unterbrach seine Lesung, ich hob den Kopf und sah, daß er Anja erwartungsvoll anblickte, doch sie sagte kein Wort und starrte nur auf das Schulheft. Haller mußte es als Aufforderung verstehen, fortzufahren mit der Geschichte von Sven, und ich erfuhr etwas über das Geständnis einer Nacht.

Es war in einer Nacht, als Haller von Berührungen erwachte, vor seinem Bett saß Sven, geduldig, obwohl er fror, er mußte etwas sagen, jetzt. Und nachdem Haller ihn beruhigt hatte, sagte er, daß der Direktor der Schule ihn habe rufen lassen und daß man ihm in Gegenwart seines Klassenlehrers mitgeteilt habe, daß die Absicht bestehe, ihn für seine Tat auszuzeichnen, mit der Rettungsmedaille, die in Hamburg hoch geschätzt werde und die nur dem zuerkannt werde, der einen Menschen vor dem Tod des Ertrinkens gerettet habe. Diese Mitteilung nahm Sven nur schweigend zur Kenntnis. Angeblich aber wußte er schon in diesem Augenblick, daß er die Medaille nicht annehmen dürfte, da er den Mann, für dessen Rettung man ihn auszeichnen wollte, selbst über Bord gestoßen hatte. Zum Erstaunen des Schuldirektors lehnte Sven die Medaille ab, er nannte nicht den Grund für seinen Verzicht, er erwähnte nur, daß es ihm nicht möglich sei, die Medaille anzunehmen. Anja unterbrach Haller, mit Entschiedenheit in der Stimme wies sie darauf hin, daß Sven ja aus eigenem Entschluß gesprungen sei, um den im Wasser treibenden Mann zu retten, und daß die Medaille nur eine gerechte Anerkennung sei. Statt direkt darauf zu antworten, erwähnte Haller, daß Svens Entscheidung ihn sprachlos gemacht und daß er ihm eine Hand auf die Schulter gelegt habe, zum Zeichen der Zustimmung und Bewunderung. So zumindest wollte er alles auslegen. Aber wie kam Sven dazu, fragte Anja, wer beeinflußte ihn zu dieser Entscheidung? »Vieles bleibt uns verborgen«, sagte Haller, »es gibt Einflüsse, die wir nicht benennen, nicht ergründen können, vielleicht hat Sven ja auch ohne fremden Einfluß gehandelt, nur, weil er glaubte, es von sich aus tun zu müssen.

Und Haller schlug das Heft auf und stellte

Sven als umsichtigen jungen Mann vor, der sich sein Taschengeld im Kiosk verdiente, wo er Gläser spülte, Tische und Stühle säuberte und leere Flaschen zum Abtransport sammelte.

Manchmal betraute ihn der Besitzer des Kiosks auch mit einer besonderen Aufgabe: Wenn einer seiner Gäste zuviel geladen hatte an Bier und Aquavit, so daß seine Beine sich nicht einig werden konnten, welchen Heimweg sie einschlagen sollten, gab er Sven einen Wink, und der erwies sich als ein zuverlässiger Begleiter. Untergehakt führte er den Schwankenden nach Hause, zu seiner Wohnung, zu seinem Schiff. Das tat er auch, als ihm dieser Koschnik anvertraut wurde, ein magerer, ausgezehrt wirkender Mann, der, während Sven ihn führte, immer wieder auflachte und zu einer Rede ansetzte, stoßweise, unzusammenhängend. Offenbar wandte er sich an eine Gruppe von Spezialisten, die Schiffsschrauben herstellte, pathetisch stellte er fest: »Wir geben den Schiffen die Kraft, durch die Meere zu gleiten, wir lassen sie in der Welt ankommen, wo man sie erwartet.« Oft mußte Sven nachfragen, ehe er sicher war, daß Koschnik in einer Kleingartenkolonie wohnte, in einem Holzhaus, mit Sonnenblumen vor dem Fenster, mit Kindern, die im Garten spielten.

Kinder kamen ihm entgegengelaufen, als er Koschnik durch das Gartentor bugsierte, die Kinder hüpften und jubelten, sie zupften den schwankenden Mann an der Jacke, das älteste Mädchen probierte eine Umarmung. Sven beobachtete, wie das Mädchen während der Umarmung eine Hand in die Brusttasche des Mannes schob und seine Geldbörse herauszog, die es gleich unter seinem Kleid verbarg und danach, als sie im Haus waren, ohne ein Wort der Frau gab. Die Frau war freundlich zu Sven, sie dankte ihm und lud ihn zu einem Glas Apfelsaft ein, und als er ging, schenkte sie ihm zwei Euros – die einzigen Münzen, die sie in der Geldbörse fand. Die Kinder begleiteten ihn bis zum Gartentor, und dort gab er dem Mädchen einen Euro und schlug ihm vor, davon Vanille-Eis zu kaufen, bei dem Mann mit der lustigen weißen Mütze. Als Anja das hörte, lächelte sie und sagte: »Das kann ich mir vorstellen, so war Sven.« »Unser Sven«, ergänzte Haller und glaubte, bevor er in seinem Schulheft weiterlas, erklären zu müssen, daß ja kaum ein Leben geradlinig verläuft, immer gibt es Ausschläge, Abweichungen, immer gibt es Ereignisse und Stationen, die oft keine Verbindung miteinander haben. »Hör mir zu.«

Sven hatte einen Freund, der als Bote bei einer

Zeitung arbeitete, beim *Hamburger Kurier.* Sie hatten dort keine Rohrpostanlage, und deshalb sorgten Boten für eine Verbindung zwischen den einzelnen Redaktionen und der Produktion, überbrachten Post und Manuskripte, hier und da sorgten sie auch für frischen Kaffee. Das Einstellungsgespräch verlief so, wie Sven es erhofft hatte, er wurde angenommen und unterschrieb den ersten Vertrag in seinem Leben. Nach Redaktionsschluß, wenn man ihn weniger beanspruchte, saß er in der Botenzentrale und las, er war der häufigste Benutzer der Hausbibliothek, und der alte Redakteur, der die Bibliothek verwaltete, hatte seine Freude daran, die Lektüre des jungen Mitarbeiters zu beeinflussen. Am liebsten las Sven Kurzgeschichten, aber auch Interviews mit Schauspielern und Malern und Schriftstellern, er las mit einem Bleistift in der Hand und unterstrich, was ihm bemerkenswert erschien. Wenn man ihn zu dieser Zeit gefragt hätte, was er einmal werden wollte, hätte er wohl arglos gesagt: Leser, am liebsten Leser. Seine Leidenschaft für die Lektüre war so dauerhaft, sein Gedächtnis für Inhalte, Konflikte und Lösungen so erstaunlich, daß ihn der Feuilleton-Redakteur, vermutlich um sich selbst zu vergewissern, mitunter in ein Gespräch zog. »Und Sven konnte immer Auskunft geben«, sagte Anja, und Haller darauf: »Allmählich konnte er sich selbst wie ein wandelndes Nachschlagewerk vorkommen. – Es geht weiter.«

Auch die Zeit als Bote ging zu Ende. Als der *Hamburger Kurier* seine jungen Leser einlud, sich an einem Preisausschreiben zu beteiligen, schnitt Sven die Bekanntmachung aus der Zeitung aus und trug sie bei sich. Während einer Hafenrundfahrt, allein auf dem Sonnendeck, las er die Bekanntmachung zum wiederholten Mal und entschloß sich, an dem Preisausschreiben teilzunehmen. Die Aufgabe, die gestellt wurde, schien ihm erfüllbar. Unter dem Titel »Ein unvergessener Spaziergang in Hamburg« erwartete die Jury einen Beitrag, der sehr persönlich sein durfte und, wie sie sich ausdrückte, einen Blick in die Wunderwelt der großen Stadt ermöglichen sollte. Es war ein Preisgeld von fünfhundert Euro ausgesetzt, die Entscheidung der Jury galt als nicht anfechtbar.

Lange grübelte Sven nach, entsann sich einiger kurzer Spaziergänge, die ihm wenig bedeuteten, er fand keinen, den er vor dem Vergessen hätte bewahren wollen. In seiner Niedergeschlagenheit beschloß er, auf einen abermaligen Spaziergang zu gehen, nur zu dem Zweck, zu sehen und zu erfahren, was ihm geeignet erschien für seinen Beitrag.

Er suchte nicht lange. Zufällig entdeckte er, daß die Störtebekergasse für den Durchgangsverkehr ein ganzes Wochenende gesperrt war, mit Rücksicht auf ein Ereignis, das viele Menschen zusammenführte: den heimischen Flohmarkt. Sven machte sich auf den Weg, mit wachen Sinnen, mit der Bereitschaft, alles aufzuzeichnen und zu bewahren, was sich ihm anbot: Auf Tischen, auf Zeltbahnen standen da gebrauchte Suppenschüsseln und Eierbecher zum Verkauf, er sah ein besticktes Kopfkissen, das »Frohes Erwachen« wünschte, einen Tortenheber, Mäusefallen, Gummistiefel, Kartenspiele; ihm entging nicht ein Kasten mit altmodischem Besteck, nicht die Bernsteinkette, die eine pfeiferauchende Frau anbot; am längsten hielt er sich bei dem Vogelkäfig auf, in dem ein griesgrämig wirkender Papagei hockte, dem von Zeit zu Zeit der Satz gelang: »Halt dich steif, Petersen!« Sven fragte sich nicht, wo der Papagei diesen Satz gelernt haben mochte, er ließ ihn sich zweimal wiederholen, dann schlenderte er weiter, bestaunte einen indianischen Kopfschmuck und ein ausgestopftes Eichhörnchen, und auch hier fragte er sich nicht, wer wohl diese Dinge wem nachgelassen habe. Er glaubte genug gesehen zu haben.

Jetzt fragte Anja geduldig: »Und? Gewann er

einen Preis?« »Einen Preis hat er nicht gewonnen«, sagte Haller, »aber der *Hamburger Kurier* druckte sein Manuskript.« Es war ein großer Tag für Sven, er fand sich gedruckt, und es ist anzunehmen, daß da schon der unwillkürliche Wunsch entstand, dieses Erlebnis zu wiederholen, diese Entdeckung. Beglückwünscht von seinem Botenfreund, der ihm einredete, mehr draufzuhaben, als Papier zu überbringen, erwog Sven, sich um eine Arbeit in der Redaktion zu bewerben, und es stand für ihn auch schon fest, daß es nur das Feuilleton sein könnte. Dieser Wunsch wurde ihm nicht erfüllt, aber man schlug ihm in der Geschäftsleitung vor, doch ein Volontariat zu beginnen, und mehr als zufrieden nahm er den Vorschlag an. Fast zwei Jahre dauerte sein Volontariat, eine Lehrzeit, an die er sich später mit Freude erinnerte. Er durfte an Redaktionskonferenzen teilnehmen, auf denen Ereignisse des Tages bewertet wurden, er durfte aus dem Archiv sogenannte Vorgeschichten heraussuchen, mitunter forderte man ihn auf, besondere Vorkommnisse »wahrzunehmen«, wie man sich ausdrückte, und schickte ihn in eine Briefmarkenausstellung, zu einem Stapellauf oder einer Filmpremiere ins Roxi-Kino. Zu einer Filmpremiere nahm er Laura mit, die bereits Jungredakteurin im Feuilleton war und eine Liebhaberin französischer Filme; beide sahen mit Begeisterung zu, wie der Schauspieler Depardieu nach einem gewonnenen Florettduell in einer Burgruine zur Belohnung einen Kuß von einem spärlich bekleideten Burgfräulein bekam. Bevor im Roxi-Kino das Licht eingeschaltet wurde, erhielt Sven seinen ersten, wenn auch nur flüchtigen Kuß. Später wunderte er sich darüber, daß das, was wir durch Anschauung miterleben, die Macht hat, uns in unserem Verhalten zu regieren, uns zur Nachahmung anzustiften.

Hand in Hand verließen sie das Kino; ohne etwas besprochen oder ausgemacht zu haben, begleitete Sven die um mehrere Jahre ältere Laura, stieg mit ihr die vier Treppen hinauf, betrat hinter ihr die geräumige Wohnung und erhielt, bevor er sich setzte, einen Willkommenskuß. Laura entsann sich, von einem Geburtstag noch etwas Wein zu haben, sie brachte eine knapp gefüllte Flasche auf den Tisch und begann, den Film, den sie gerade gesehen hatten, nachzuerzählen.

An dieser Stelle lachte Anja auf, belustigt sagte sie: »Kommt mir bekannt vor, Fred, jetzt hast du uns ins Spiel gebracht.« »Nicht jeder ist ein Original«, sagte Fred, »damit müssen wir uns abfinden.« Er blätterte weiter in seinem Schulheft, ließ Sven eine Nacht in Lauras Wohnung verbringen – wobei er vergnügt erzählte, wie umständlich Sven sich auszog und wie er Laura dabei half, ihren engen Rock abzustreifen –, zum ersten Mal lag er unbekleidet neben einem Mädchen und befolgte, wozu er angeleitet wurde. Als sie reglos nebeneinanderlagen, fiel ihm etwas ein, worüber er sich nicht wunderte; Sven riskierte den Vorschlag, bald zu heiraten, in einer nicht allzu fernen Zukunft.

Ich sah zu Anja hinüber, Unruhe schien sie ergriffen zu haben, sie schüttelte den Kopf und machte eine verneinende Bewegung, worauf Haller nur wiederholt nickte und sagte: »So ist es manchmal!«

Den Besuch, der zaghaft an der Tür klopfte, schien Laura erwartet zu haben, sie ließ einen stämmigen, helläugigen Mann in die Wohnung, der sich vor ihr verneigte, Sven aber nur abschätzend musterte und sich einen Moment blickweis mit Laura verständigte. Der Besuch hatte etwas zu überbringen. Er zögerte. Erst auf ein beschwichtigendes Zeichen von Laura holte er einen Lederbeutel hervor, den er am Körper trug. Er legte den Beutel auf den Tisch, woraufhin Laura eine Blumenvase ergriff, hineinfaßte und einen Umschlag zum Vorschein brachte. Der Besucher öffnete den Umschlag. Die gebündelten Geldscheine stimmten ihn zufrieden, er zählte sie nicht nach, bekundete nur sein Vertrauen, indem er Laura die Hand gab und sich dann mit einer Verbeugung verabschiedete. Von der Tür her sagte er noch: »Dienstag, auszuliefern im Kohlenhafen, General Arias aus Nicaragua.« Das klang wie eine Order.

Kaum waren sie allein, da schüttelte Laura den Inhalt des Lederbeutels auf dem Tisch aus, kleine Kapseln, die gefüllt waren mit grauen, blauen und weißen Tabletten. Nachdenklich begann sie, die Kapseln zu sortieren, Sven mußte glauben, daß Laura sich dabei an Namen und Adressen erinnerte, die bedacht sein mußten. Einmal nahm er eine Kapsel, schüttelte die Tabletten raus, tat, als wollte er sie sich in den Mund stecken, doch bevor es ihm gelang, hatte Laura sie ihm abgenommen. Ruhig sagte sie: »Nein, Sven, nein, nein, wir können uns das Zeug nicht leisten, zu teuer für uns.«

Haller unterbrach seine Erzählung, machte eine lange Pause. Jedem, der ihm zugehört hatte, wäre aufgefallen, daß er zunehmend für Sven Partei ergriff; selbst als er einmal Svens Spiegelbild in einer Schaufensterscheibe beschrieb, wurde Zuneigung erkennbar – das zerzauste blonde Haar, die dekorativen Löcher in den Jeans und der wie zur

Versöhnung ausgestreckte Arm. Doch er ersparte ihm auch nicht eine folgenreiche Enttäuschung.

Als der Sportredakteur des *Hamburger Kuriers* ihm vorschlug, gemeinsam zu einem Pferderennen zu gehen, war Sven sogleich dazu bereit, und nicht nur dies: Wie ihm geraten wurde, beschloß er zum ersten Mal, zu wetten. Er lieh sich Geld, von Laura, vom Besitzer des Kiosks und von seinem ehemaligen Botenfreund. Der Sportredakteur kannte einige Jockeys, und er war vertraut mit der Erfolgsgeschichte einiger Pferde; da er das Recht hatte, die Stallungen zu betreten, nahm er Sven zu einem Gang mit. Offenbar hatte der Sportredakteur auch ein persönliches Verhältnis zu einem Pferd, er schmiegte sein Gesicht an dessen Kopf, streichelte ihn, schien ihm tatsächlich etwas zuzuflüstern. Sven lächelte, als er den Namen des Pferdes hörte: Windsbraut – das klang schon nach Sieg, nach Gewinn. Jetzt glaubte er, nicht mehr wählen zu müssen, er setzte das ganze geborgte Geld auf Windsbraut und begeisterte sich am Anblick des schönen Pferdes, das auf dem Weg zum Start verhalten tänzelte. Sein Pferd kam gut vom Start weg, es hielt sich sicher im Mittelfeld: Als es sich allmählich an den anderen gestreckten Leibern vorbeischob und in vollkommenem Galopp die Spitze gewann, sprang Sven auf, wie auch andere Zuschauer, er schrie mit ihnen, er klatschte mit ihnen, er stieß mitunter Heultöne aus und trampelte dabei. Je näher er sich einem Sieg glaubte, desto öfter wuchs seine Bereitschaft, sich Nachbarn zuzuwenden, ihnen auf die Schulter zu schlagen oder zuzunicken, fast schon zu gratulieren. Der knabenhafte Jockey, der Windsbraut ritt, gebrauchte sein Stöckchen nicht ein einziges Mal, er lag fast auf dem Rücken des Pferdes, Sven kam es so vor, als erblickte er ein einziges Wesen.

Warum Windsbraut sich plötzlich vergaloppierte, strauchelte und zusammenbrach, konnte Sven nicht erkunden, er bekam nur mit, wie die Vorderbeine des Pferdes einknickten und der Körper sich wie im Reflex aufbäumte und stürzte. Dem Jockey gelang es, auf die Beine zu kommen, hinkend wandte er sich dem Pferd zu, beklopfte seinen Hals, seine Stirn, packte die Zügel, zog und riß und forderte es mit kurzen Befehlen auf, sich zu erheben. Schnaubend versuchte Windsbraut, den Befehlen zu gehorchen, warf den Kopf, drückte sich ab, doch fiel immer wieder zurück.

Zum Glasgebäude hinüber, in dem die Rennleitung saß, gab der Jockey wiederholt Zeichen, und nach kurzer Zeit erschien ein Laster mit offener Ladefläche, auf der ein Kran montiert war. Zwei Männer zogen flache Gurte unter dem Körper des Pferdes hindurch, bedienten den Kran und hoben Windsbraut auf die Ladefläche. Während sie langsam davonfuhren, regte sich vereinzelt Beifall. Sven klatschte nicht. Ergriffen starrte er auf die Vorderbeine des Pferdes, die sich zuckend bewegten, die versuchten, auszugreifen, Boden und Halt zu gewinnen, schließlich aber, wie erschöpft von der Bewegung, still lagen. Wohin sie fuhren, wußte Sven nicht. Sie konnten noch nicht weit gekommen sein – aber doch weit genug vom Rennplatz entfernt –, als Sven den Schuß hörte. Er erstarrte. Er wartete auf einen abermaligen Schuß, doch er erfolgte nicht. Warum Sven auf einmal weinte, konnte er sich später nicht erklären, er weinte lautlos, biß sich sacht in den Handrücken, um mit einem Gegenschmerz auf seine Empfindung zu antworten. Er bemühte sich nicht, seine Empfindungen zu verbergen. Der Sportredakteur legte ihm eine Hand auf die Schulter und sah ihn teilnahmsvoll an, und da sagte er etwas, das Sven nicht verstand. Er sagte auf Englisch: »They shoot horses, sometimes.«

Haller wiederholte den Satz, und ohne sie anzuschauen, reichte er Anja die Hand. Er spürte, wie nah ihr diese Begebenheit ging, dennoch verzichtete er nicht darauf, Sven noch einmal erscheinen zu lassen, ernst und vielleicht auch davon überzeugt, daß es Zumutungen gibt, die man einander nicht ersparen darf, die man aushalten muß.

Es war an einem Dienstag. Sven lieh sich das Dingi des Kioskbesitzers, und bei leichtem Nebel legte er vom Steg unterhalb des Kiosks ab und ruderte in Richtung Kohlenhafen. Ein langer Weg lag vor ihm, doch er traute es sich zu, zum Liegeplatz der *General Arias* zu finden und dort den Mann zu treffen, der ihn zu einer Begegnung aufgefordert hatte. Er war nicht allein auf dem Strom. Von Zeit zu Zeit glitt schattenhaft ein Schlepper vorbei oder ein Küstenfrachter, einmal auch, über die Toppen beleuchtet und groß wie die ganze Welt, ein Passagierschiff. Ein aufkommender Fischkutter drosselte seine Fahrt und kam nah heran, bis er querab war, man bot Sven an, ihn in Schlepp zu nehmen, doch er dankte und lehnte ab. Als der Nebel dichter wurde, bedauerte er seine Entscheidung, jetzt ruderte er nur nach Gefühl. Er rammte einen Duckdalben und glaubte da, seinem Ziel näher gekommen zu sein. Gleich darauf spürte er einen mächtigen Stoß, der sein Dingi zum Kentern brachte, und er sah noch den Bug, der es unter Wasser drückte, das Dingi und ihn, und vielleicht hörte er zuletzt das unerbittliche Walkgeräusch einer Schiffsschraube, bis es nichts mehr gab außer Dunkelheit.

Anja, die beim Zuhören ihr Halstuch abnahm, es auszog, es sich um die Finger wickelte, stand auf und griff hastig nach dem Schulheft. Sie weinte. Hilflos sah sie sich um, als suchte sie nach einem Ausweg; dabei wurde das Weinen heftiger, zeigte sich als Krampf. Sie preßte das Schulheft an ihre Brust. Wortlos, mit unsicheren Schritten ging sie hinaus und ließ Hallers bittende Geste unbeachtet.

Lange sah ich zu ihm hinüber, er wirkte verzweifelt. Obwohl es für ihn nichts mehr zu sagen gab, fragte ich: »Und? War es so? Ist Sven ertrunken?« »Unser Sven ist bei der Geburt gestorben«, sagte er.

Das Interview

Da Benno zu den Theater-Festspielen nach Luzern gefahren war, beauftragte die Redaktion mich, das Interview für die Seite fünf zu übernehmen. Die Seite fünf ist eine Art Schauseite im *Hamburger Kurier*, in dem ich als freier Mitarbeiter tätig bin. Wann immer bedeutende oder, wie Benno sagte, »ergiebige Personen« in die Stadt kamen, erhielten wir einen Tip, einen Hinweis; wir wurden nur selten enttäuscht. Unser Mann ist Portier in dem kleinen, aber eleganten Hamburger Hotel *Schwaneneck*, in dem absteigt, wer auf sich hält oder halten zu müssen glaubt. Lange, vertrauensvolle Zusammenarbeit hat es mit sich gebracht, daß wir uns mit Vornamen nennen; wenn wir hören, daß Alex angerufen hat, denken wir nicht nur an den Portier im *Schwaneneck*, sondern sind auch sogleich bereit, etwas über den Grund seines Anrufs zu erfahren. Daß Europas erfolgreichster Springreiter, daß eine berühmte Schauspielerin oder ein populärer Stimmenimitator sich in der Stadt aufhielten, hatten wir von Alex erfahren; wir danken ihm gelegentlich mit seinem Lieblingsgetränk.

Mit seinem letzten Anruf machte uns Alex auf diesen Regisseur aufmerksam, auf Elmar Voss. Viel konnte er nicht über ihn sagen, er vermutete aber, daß Elmar Voss ein vielgefragter Mann sei, da er Anrufe aus Italien und Schweden bekäme und oft englisch spreche. Um mich mit ihm zu verabreden, rief ich selbst im *Schwaneneck* an und nannte auch den Namen meiner Zeitung. Er meldete sich nicht mit seinem Namen, er fragte lediglich: »Ja, ja bitte?«, und wollte dann wissen, worüber ich mit ihm zu sprechen wünschte. Ich bekannte mich als Bewunderer seiner Filme und schlug ihm vor, über einige Probleme und ihre Darstellung zu sprechen, wobei Privates nicht unerwähnt bleiben sollte, hier und da zumindest; außerdem hoffte ich, etwas über seine gegenwärtige Arbeit zu erfahren, über den Film *Der Vorkoster*, der gewiß von vielen erwartet werde. Einen Moment schien er nachzudenken, dann sagte er: »Gut, ich bin einverstanden. Kommen Sie gegen achtzehn Uhr, Sie trinken doch hoffentlich Tee?«

Um meine Kenntnisse über Elmar Voss zu erweitern, holte ich mir aus unserem Archiv die

Mappe mit Zeitungsausschnitten, die ihn betrafen. Manches war mir bekannt. Ich wußte bereits, daß sein Film *Atempause* mit dem großen Filmpreis ausgezeichnet worden war und daß man *Der Rest ist Zweifel* für den Oscar nominiert hatte. Erstaunt erfuhr ich, daß Voss eine besondere Leidenschaft hatte: Wo immer auf der Welt ein sogenannter Marathon-Gedächtnislauf stattfand – in Kopenhagen, in Neapel oder Düsseldorf –, war dieser Regisseur unter den Teilnehmern zu finden. In einem Ausschnitt aus der Festschrift *Wir und unsere Welt* konnte ich lesen, daß Voss und seine Frau zwei Kinder adoptiert hatten, ein finnisches Mädchen und einen Jungen aus Tunesien. Seine Frau war nicht lange danach bei einem Schiffsunglück ums Leben gekommen. – Als ich pünktlich ins Hotel kam und mich nach Herrn Voss erkundigte, wurde ich vom Concierge in ein kleines Atelier geführt. Dort war bereits alles dafür bereitet, mir den *Vorkoster* vorzuführen. – Danach brachte man mich zu Elmar Voss.

Im Unterschied zu den Photos, auf denen er gebeugt erschien und in einer Haltung des Abwartens, begrüßte mich im *Schwaneneck* ein hochgewachsener Mann, der sich über unsere Begegnung freute. Er trug dunkle Hosen und einen hellblauen Pullover. Als hätte er diesen Platz für mich bestimmt, bot er mir gleich den Stuhl vor dem großen Fenster an, durch das man die Alster erblickte, auf der ein Dutzend Optimist-Jollen kreuzte. Es war sein Lieblingsplatz. »Hier wird das Auge gut bedient«, sagte er, »und übrigens auch die Phantasie. Da Sie die Muster kennen, wissen Sie, daß dies die erste Einstellung ist beim *Vorkoster*: Die Idylle und dann der Einbruch des Unglücks in die Idylle; Idylle und Drama sind manchmal Nachbarn.«

Da mir diese Bemerkung als wichtig für die Arbeit von Voss erschien, bat ich ihn um sein Einverständnis, mir Notizen zu machen, nur in Stichworten, worauf er mit einer knappen Handbewegung zustimmte und gleich darauf nach draußen deutete: Zwei Optimist-Jollen waren nach dem Drehen gegen den Wind auf Kollisionskurs geraten, und um die Gefahr abzuwenden, hatten sich die beiden jungen Segler außenbords gehängt und hielten verzweifelt die Leinen: Es gelang ihnen, ihre Boote auf Abstand zu halten und aneinander vorbeizubringen.

»So beginnt der *Vorkoster*«, sagte ich, und Voss: »Im Bild, ja, die Geschichte aber beginnt mit der Frage: ›Was wäre, wenn?‹ Und um diese Frage zu beantworten, wenn auch nur vorläufig, entschloß man sich, zu handeln: ›Ich stelle mir vor.‹

Sich etwas vorzustellen, das heißt ja auch, in ein Geschehen einzugreifen.« »In Ihrem Film kommt es zu einer Kollision«, sagte ich. »Ja«, sagte er, »zu einer Kollision mit Folgen.«

Ich stellte mir die Szene vor, in der die beiden Jollen aufkreuzten, ihre hellen Segel, in denen der Wind saß als Verbündeter und die leichten Boote so stetig bewegte, daß man glaubte, sie würden gleich abheben.

Am Ufer, zwischen Weiden, lagerten zwei Männer, die das fast geräuschlose Gleiten der Boote beobachteten, jeder der Männer hielt eine Bierflasche in der Hand, trank jedoch nicht und griff auch nicht nach einem der mit Wurst belegten Brötchen, die auf einer Decke neben ihnen lagen. Sie kamen nicht von dem bewegten Bild los, geradeso, als seien sie zum Zuschauen verurteilt. Beiden war anzusehen, daß sie mehr als eine Nacht unter freiem Himmel geschlafen hatten, und weder dem Bärtigen noch dem Mann mit den Ohrringen hätte man zugetraut, einer geregelten Beschäftigung nachzugehen. Sie kamen hier mit wenigen Wörtern aus, der mit den Ohrringen wurde Vincent genannt, der Bärtige hieß Georg.

»Sie lassen sie nur wenig sprechen zu Anfang«, sagte ich. »Über gewisse Ereignisse spricht man nachher«, sagte Voss, »nicht, während sie geschehen. Im übrigen darf man voraussetzen, daß die beiden sich bereits ihre Lebensgeschichte erzählt haben, zumindest mit den Vorkommnissen, die sie für erzählenswert halten.«

Als erkennbar war, daß die Jollen sich nicht mehr ausweichen konnten, sagte der Bärtige: »Da, Vincent, da, jetzt passiert's.« Er sprang auf, gebannt von dem Anblick, der sich bot, von dem Drama am Anfang des Films. Es knallte, als die Bootskörper zusammenstießen, die Segel, wie befreit, schlugen und flatterten, sie ließen sich nicht rasch bergen, stiegen einmal auf, peitschten, niedergedrückt, über die Bootskörper, mit einer Gewalt, die einen der außenbords hängenden Segler mitriß, einfach wegwischte. Es dauerte eine Weile, bis er auftauchte, schwimmend seinem davontreibenden Boot nachblickte, immer wieder eine Hand hochriß, doch das Boot trieb davon, der anderen, schnelleren Jolle hinterher, deren Segler das Unglück nicht bemerkt zu haben schien, denn er drehte nicht gleich bei. Plötzlich aber hatte er wohl den im Wasser Kämpfenden entdeckt, er wendete, nahm Fahrt auf, hielt auf den Schwimmer zu, doch der Wind vereitelte die Rettung. – Der Schwimmer tauchte ab, ließ sich überlaufen.

»Und dies«, sagte ich, »dieser Augenblick genügte, um Vincent handeln zu lassen.« »Für den Mann mit den Ohrringen war es das Motiv«, sagte Voss. »Meine Erfahrung hat mich gelehrt, daß jede nennenswerte Handlung ein Motiv hat.« Vincent warf seine Jacke ab – eine Jacke mit großen Taschen –, watete ins Wasser, erreichte mit kräftigen Schwimmstößen den Hilflosen, wehrte seine Versuche, zu klammern, ab und zog ihn an Land. Für diese Rettungstat gab es mehrere Augenzeugen.

Es war kein namenloser Schüler, den Vincent gerettet hatte, Anton Viersen war der Sohn eines bekannten Unternehmers, der, angesehen auch bei internationalen Linien, Schiffsproviant herstellte und lieferte. Arnold Viersen, der Vater des Verunglückten, erfuhr noch am gleichen Tag von dem Unglück, das so gut ausgegangen war, und um dem Retter zu danken, lud er ihn in sein Haus ein, nicht zur Mittagszeit, sondern gegen Abend.

Nie zuvor hatte Vincent ein so weiträumiges, schilfgedecktes Landhaus betreten. Die blaugestrichene Eingangstür war mit allegorischem Schnitzwerk verziert, die langen verwinkelten Gänge, von denen die Zimmer abgingen, ließen annehmen, daß man sich nicht allzuoft begegnete. Den größten Eindruck machten auf Vincent zwei Ölgemälde am Ende des Hauptganges; es waren Stilleben, auf einem waren Fische mit Zitrone dargestellt, auf dem anderen ein toter Hase mit Weintrauben. Eine tiefe Stimme bat ihn, weiterzukommen, es war die Stimme von Arnold Viersen, und Vincent war überrascht, einem kleinwüchsigen Mann zu begegnen, der am Stock ging und der ihm bei der Begrüßung die Hand auf die Schulter legte und dabei Dankesworte murmelte.

»Im Film«, sagte ich, »wird sofort deutlich, daß es eine Begegnung zweier ungleicher Männer ist.« »Signalwirkung«, sagte Voss, »was gezeigt wird, existiert ja nicht nur für sich, es hat auch eine unmittelbare Signalwirkung, nicht zuletzt die Hand auf der Schulter; das vorausgegangene Ereignis rechtfertigt diese Geste.« Ein adrett gekleidetes Hausmädchen meldete, daß das Abendessen serviert sei, und die Männer gingen in das Speisezimmer. Hier wiederholte Arnold Viersen seinen Dank und schenkte Wein ein. Nachdem sie getrunken hatten, sagte Vincent: »Chardonnay Premier Cru, das Beste zu gegrilltem Lachs.« Verblüfft schaute Viersen seinen Gast an, äußerte sich aber nicht. »Diese Kennerschaft wird später begründet«, sagte Voss – und zwar während des Essens, als Viersen den Vornamen Vincent erwähnte und bedachte und erfuhr, daß sein Vater einmal Soldat gewesen war, einfacher Soldat, Bursche eines Generalleutnants, der Vincent von Kluckhohn hieß. Auch er, Vincent, sei einmal Soldat gewesen, vorübergehend bei einem Major. Schmunzelnd sagte er: »Als Bursche lernt man viel mehr als Stiefelputzen.«

Das Gespräch während des Essens wird zur Schlüsselszene. Nachdem sie eine zweite Flasche geleert und Vincent sich lobend und kennerisch über das Essen geäußert hatte, wiederholte Viersen abermals seine Dankbarkeit und zögerte nicht, zu erklären, daß er sich Vincent unendlich verpflichtet fühle. Anton sei sein einziger Sohn, den er bestimmt habe, die Firma eines Tages zu übernehmen und zu lenken, mit seiner Rettung sei die Zukunft gesichert. Und dann machte Herr Viersen Vincent das Angebot, für seine Firma zu arbeiten, in einer angemessenen Position. Ungläubig starrte Vincent ihn an, Skepsis löste Freude ab, er stand auf, ging einmal um den Tisch herum, und als er verlegen fragte: »Wie denn, als was denn?«, sagte Viersen lächelnd: »Sie können abschmecken, im weitesten Sinne vorkosten. Ein Vorkoster hat eine wichtige Position; ich war selbst einmal in dieser Position tätig. Unsere Firma beliefert verschiedene Linien – Proviant für die Küstenschiffahrt, das Nötige für die Fähren zu den Inseln und nicht zu vergessen die Grundlagen der Speisen auf der Sunshine-Route, den beiden großen Kreuzfahrtschiffen, die ihren eigenen Anspruch stellen.« Vincent verzog seine Lippen, er sagte: »Ich weiß nicht, ich trau es mir nicht zu!« »Was Sie gezeigt haben, läßt hoffen«, sagte Viersen, »Sie haben den ersten Beweis geliefert, auf Ihren Geschmack ist Verlaß.«

Voss bringt ins Bild, wie Vincent den ersten Vertrag seines Lebens unterschreibt und mit den Mitarbeitern der Firma bekannt gemacht wird. Man heißt ihn willkommen, beobachtet aber verstohlen, wie er sein Einverständnis äußert zu westfälischem Dauerschinken, zu Thüringer Wurst und selbst zu dänischen Frühkartoffeln, geradezu andächtig geht er dem Aroma grönländischer Krabben auf den Grund. »Die Entstehung und Begründung eines Geschmacksurteils ist für mich ein Zentrum Ihres Films«, sagte ich, und Voss darauf, erfreut: »In der Tat, so ist es; und vielleicht haben Sie auch bemerkt, daß ich das im übertragenen Sinne verstanden haben möchte: Laßt ein Angebot auf der Zunge zergehen, prüft es, bevor ihr ja sagt.« – Was Vincent für gut befand, wurde auch von den Partnern auf See gelobt, bis auf die Beschwerde, die sie von einem der Kreuzfahrtschiffe erreichte; dort hatten einige Passagiere nach dem Genuß von Fasan mit Safran über Juckreiz geklagt, einer sogar über Eintrübung der Sehschärfe. Geräuchertes Sauerkraut in gebackener Form aber wurde zu einem Volltreffer, besonders zusammen mit Saumagen. Unerreicht blieb aber die schlichte Seemannsspeise Labskaus, zu der, auf Vincents Empfehlung, junge Pilze gegeben wurden.

Viersen, der sich in seiner Entscheidung bestätigt sah, hob in einer anspruchslosen Feier Vincents Verdienste hervor und sicherte ihm danach eine Gehaltserhöhung zu. In seiner Rede verstieg er sich zu der Bemerkung: »Auch ein Gaumen bringt Gewinne.«

Ich gestand Voss, daß diese Szene mich sehr amüsiert hatte und ich immer wieder lachen mußte, gleichzeitig steigerte sie aber auch die Anteilnahme an Vincents außergewöhnlichem Erfolg und Aufstieg. Voss winkte bescheiden ab, er wies darauf hin, daß er an der Figur Vincent nur ein altes, immer erfolgreiches Muster verdeutlichen wollte: den Aufstieg und Fall exemplarischer Personen. Wem es gelingt, sich aus seinen Niederungen hervorzustemmen, der gewinnt wie von selbst ein allgemeines Interesse. Nicht zuletzt dank des Erfolgs, den Vincent der Firma gebracht hat, entschließt sich ihr Eigentümer zu einer Erweiterung. Es gelingt ihm, ein ausgemustertes Segelschulschiff zu erwerben, einen immer noch seetüchtigen Dreimaster, der lange unter dem Namen *Demeter* registriert war, nun aber, bei einer Umtaufe, den seltenen Namen *Luculla* erhält. Diese *Luculla* wird auf einer Route eingesetzt, die von Hamburg zu den Friesischen Inseln führt; bald wird das schöne Schiff in Seemannskreisen nur die Schnepfe genannt, was ein wenig abschätzig klingt. Auf der *Luculla* wird den Passagieren geboten, wovon sie allenfalls geträumt haben: Feinschmecker-Reisen der höchsten Klasse. Voss sagte nebenher: »Das habe ich mir selbst oft gewünscht, den Segen des Meeres frisch auf den Tisch.«

Im Film wird der Gast Zeuge, wie die Beute an Bord geholt wird, mit Reusen, Haken, auch mit dem Pilk; was gegessen werden soll, bietet sich zunächst lebend an; ein Blick in die maritime Unterwelt, von der wir leben, wird da geboten. Vincent gelingt es, die traditionelle Aalsuppe mit einer Gingerbeigabe zu veredeln, schon während der Mahlzeit empfängt er Glückwünsche, und seine Schöpfung Äpfel mit Honig unter einem Schokoladenmantel wird mit wiederholtem Lob bedacht. Es dauert nicht einmal drei Monate, und die Feinschmecker-Reisen sind auf lange Zeit ausgebucht. Ich machte Voss darauf aufmerksam, daß sein Vincent in mehreren Szenen unterschiedliche Ringe trägt, worauf er ein wenig spöttisch bemerkte: »Ein Liebhaber des wechselnden Geschmacks wechselt eben auch die Ringe.« Danach notierte ich, was er über den Vorgang bei der Geschmacksbestimmung zu sagen hatte. »Schauen Sie in das Gesicht des Vorkosters. Zuerst sehen Sie die Anspannung, Offenheit; Stirnfalten signalisieren äußerste Konzentration. Die Entstehung eines vagen Lächelns deutet an, daß man sich dem innewohnenden Aroma nähert, ein Aufleuchten des Gesichts, ein Nicken verkünden erfolgreiche Bestimmung, die mit der Nennung des Namens endet und mit einem wie erschöpft klingenden Ausatmen. Ohne Proben wiederholt Vincent nur, was jeder Mensch vorführt, der eine ähnliche Aufgabe erfüllen will.« »Man kann verstehen, daß das Gesicht des Vorkosters in Großaufnahme gezeigt wird«, sagte ich. »Es ist ein Spiegel des Prozesses«, sagte Voss; »was Worte nicht sagen können, sagt der Ausdruck des Gesichts.«

Lustig kam mir der Abschnitt vor, in dem der Vorkoster in seiner Häuslichkeit auftritt. Er lebt mit Greta zusammen, einer kleinen, stämmigen Frau, die im Film Cocos-Schnut genannt wird, Vincent nennt sie »meine Cocos-Schnut«. Die Verbindung erscheint harmonisch, selbst wenn er gelegentlich nicht darauf verzichten kann, ihr beizubringen, daß zum Elchfleisch nun einmal geriebene Nüsse gehören und daß der Hering es gern hat, von Pfefferkörnern begrüßt zu werden. Greta bewundert ihren Gefährten, ab und zu fragt sie ihn: »Woher weißt du das nur, Vincent, woher hast du das alles?« Einmal antwortet er ihr selbstbewußt: »Über gewisse Geschenke zerbricht man sich nicht den Kopf; man nimmt sie an, freut sich, fertig.«

Um mich zu vergewissern, fragte ich: »Habe ich Sie richtig verstanden, daß Sie zeigen wollten, wie launisch das Schicksal sein kann bei der Verteilung solcher Geschenke?« »Ihre Vermutung trifft zu«, sagte er. Leise fügte er hinzu: »In manchen unserer Planungen und Tätigkeiten liegt ein Risiko; wir entdecken es zuweilen erst, wenn es sich erfüllt hat. Diese Erfahrung habe ich auch in meiner Arbeit machen müssen, zum Beispiel in meinem Kriegsfilm *Der Scharfschütze*. Der Film bekam nur schlechte Kritiken. In einer Zeitung hieß es: ›Ein Scharfschütze als Ästhet‹; man machte mich darauf aufmerksam, daß einige der tödlich getroffenen Soldaten allzu dekorativ fielen und danach auf dem Feld lagen wie nach einer anbefohlenen Ruhepause,

›schön geordnet, schön tot‹. Ich machte ihm das Kompliment, daß das Ende seines Films *Der Vorkoster* mich ergriffen habe und daß es gewiß auch andere Zuschauer ergreifen würde.

Dieses Ende zeigt Vincent wieder an Bord der *Luculla*. Das Schiff kreuzt in kabbeliger See. An einem Abend entdeckt er einen seltenen Vogel, der Ähnlichkeit mit einem Albatros hat, doch nur entfernte Ähnlichkeit. Mehrmals umkreist der Vogel das Schiff, schließlich läßt er sich beim Bramsegel nieder. Vincent entdeckt ihn zuerst, und sogleich reagiert der Vorkoster in ihm: Eine Gans kann es nicht sein, eine Ente noch weniger, was also? Der Vorkoster wendet sich an den Kapitän, er erklärt ihm, daß mit dem Erscheinen dieses seltenen Vogels vielleicht ein denkwürdiger Augenblick für die Bereicherung der Geschmackspalette gekommen sei, dazu müßte man den schwarzweißen Vogel allerdings bekommen und zubereiten. Der Kapitän der *Luculla* muß nicht langwierig überzeugt werden, er greift seine immer geladene Schrotflinte, sucht sich eine günstige Position und erlegt den Vogel mit dem ersten Schuß. Der Vogel fällt nicht aufs Deck herab, er verfängt sich im Tauwerk, schlägt verzweifelt mit den Schwingen, die mit dem Nachlassen der Kraft zur Ruhe kommen! Ein Sinnbild der Traurigkeit, so hängt er da. Vincent weiß, was von ihm erwartet wird, ohne Aufforderung bewegt er sich zur Strickleiter, schätzt die Entfernung zum toten Vogel ab und steigt auf. Ich sagte: »Auf diesem Aufstieg verweilt die Kamera lange, beinahe genußreich.« »Von mir gedacht als Hinweis auf die Schwierigkeiten beim Bergen einer Beute«, sagte Voss.

Es gelingt Vincent, an den toten Vogel heranzukommen, er packt ihn, befreit ihn aus dem Tauwerk, zeigt ihn seinen Zuschauern auf Deck, einige belohnen ihn mit Beifall. Mit dem Vogel in der Hand versucht er den Abstieg, und jetzt geschieht das Unglück: Sein Fuß verfehlt eine Sprosse der Leiter; um sich festzuhalten, wirft er den Vogel von sich, greift oder versucht die Strickleiter zu ergreifen. Seine Hand stößt ins Leere, während die *Luculla* durchsackt. Mit einem Schrei, den sie alle auf Deck hören, stürzt Vincent ab und bleibt auf dem Deck liegen.

»Ein gewaltsames Ende«, sagte ich. »Wie man's nimmt«, sagte Voss; »das, was ich zeigen will, muß exemplarisch begründet werden. Ich will die Entstehung eines Geschmacksverlustes anschaulich machen, und der glaubwürdigste Grund ist das Trauma, das Vincent bei dem Sturz erleidet.« Bewußtlos wird er in die Sanitätskabine gebracht, sein Zustand wird vor den Passagieren der Feinschmekker-Reise verheimlicht. Da man weiß, wieviel von seinem Urteil abhängt, erhält er eine empfindsame Pflege. Der Kapitän läßt es sich nicht nehmen, den wichtigen Patienten oft zu besuchen, es versteht sich von selbst, daß der wieder zu sich kommende Patient mit Feinschmeckerspeisen verwöhnt wird. Bei einem seiner Besuche zeigt sich der Kapitän nicht nur erstaunt, sondern auch ratlos. Vincent gesteht ihm, daß es ihm nicht möglich gewesen ist, die Fruchtsorte in Cognac zu bestimmen, und daß er den Safranpudding nicht beim Namen nennen konnte. Bekümmert sagt er über seinen Zustand: »Ich bin vielleicht leergelaufen, Herr Kapitän.« Das sagt er unter Tränen.

Ich fragte Voss, ob es während der Aufnahmen besondere Schwierigkeiten für ihn gegeben habe, und er bestätigte es. »Oh ja«, sagte er, »formale und inhaltliche Schwierigkeiten.« Selbstverständlich wurden vor jeder Feinschmecker-Reise Wetternachrichten eingeholt, das geschah auch vor der letzten Reise, die Nachrichten gaben keinen Anlaß zur Sorge. Man traute sich zu, das vorausgesagte unfreundliche Wetter zu meistern. Einmal auf See, erleben sie dann jedoch, wie sich ein Sturm ankündigt und entwickelt: Plötzliche Böen beschäftigen sich mit den Segeln, der Horizont dunkelt ein, das Schiff wird angehoben, bricht ein, stampft mitunter. Im Bild wird das althergebrachte Drama deutlich. Die meisten Passagiere, die die Reise im voraus bezahlt haben, erwarteten dennoch, an dem Feinschmecker-Erlebnis teilzuhaben.

Für das, was dann geschah, fand Voss einen besonderen Satz. »Bei Sturm«, sagte er, »reagieren unsere Geschmackspapillen anders als bei ruhiger See.« Vincent, der sich von seinem Sturz erholt hat, gelingt es, einen Titel anzubieten, der mehr als neugierig macht: »Kreuzfahrerfreude« nennt er die Speise. Sie besteht unter anderem aus Hühnerleber mit Fruchtsirup, dazu gehören Eier und Kaviar. Aufmerksam verfolgt Vincent das Servieren, gespannt beobachtet er die Gesichter der Essenden nach dem ersten Bissen. Das Ergebnis seiner Komposition stimmt ihn zufrieden, man nickt sich anerkennend zu. Herr Viersen, der auch in die Messe gekommen ist, prostet ihm zu. Fast alle heben ihr Glas gegen ihn, und er nimmt die Glückwünsche mit einem Lächeln entgegen. Die Kamera verrät, daß zum Essen Sagramoso Valpolicella Superiore geboten wird. »Für mich«, sagte Voss, »verbindet sich mit diesem Namen ein denkwürdiger Rausch.«

Nach der Feinschmeckermahlzeit und nach gemeinsamem Singen erhebt sich Vincent, er schwankt, sein suchender Blick ist ungenau, in dem Schweigen der anderen steht er wie verloren da, plötzlich unsicher, wozu er sich erhoben hat. Als er sich schwankend zur Tür bewegt, bietet ihm der Steuermann mit einer Geste Hilfe an, Vincent lehnt ab. Mühevoll öffnet er die Tür, erschrickt, krümmt sich, sammelt seine Kraft und tritt nach einem letzten Blick auf die Gesellschaft hinaus in den Sturm. Eine Sturzwelle läßt sein Schicksal nicht im ungewissen.

Mir kam das Ende des *Vorkosters* allzu lakonisch vor, ich scheute mich nicht, Voss zu fragen, ob er selbst mit diesem Ende zufrieden sei, mit diesem schlichten Blackout. Er antwortete nicht gleich. Er bedachte sich und sagte dann: »Das Schicksal verzichtet oft auf Kommentare, es begnügt sich damit, zuzuschlagen.« Und nach einer Pause sagte er mit leicht gequältem Gesichtsausdruck: »So weit, mein Lieber, Ende des Interviews.«

Siegfried Lenz im dtv

»Siegfried Lenz gehört nicht nur zu den ohnehin raren großen Erzählern in deutscher Sprache, sondern darüber hinaus auch noch zu den ganz wenigen, die Humor haben.«
Rudolf Walter Leonhardt

Das Feuerschiff
Erzählungen
ISBN 978-3-423-00336-0

Es waren Habichte in der Luft
Roman
ISBN 978-3-423-00542-5

Der Spielverderber
Erzählungen
ISBN 978-3-423-00600-2

Beziehungen
Ansichten und Bekenntnisse zur Literatur
ISBN 978-3-423-00800-6

Einstein überquert die Elbe bei Hamburg
Erzählungen
ISBN 978-3-423-01381-9

Der Geist der Mirabelle
Geschichten aus Bollerup
ISBN 978-3-423-01445-8

Der Verlust
Roman
ISBN 978-3-423-10364-0

Exerzierplatz
Roman
ISBN 978-3-423-10994-9

Die Klangprobe
Roman
ISBN 978-3-423-11588-9

Über das Gedächtnis
Reden und Aufsätze
ISBN 978-3-423-12147-7

Ludmilla
Erzählungen
ISBN 978-3-423-12443-0

Arnes Nachlaß
Roman
ISBN 978-3-423-12915-2

Siegfried Lenz im dtv

»Denn was sind Geschichten? Man kann sagen, zierliche Nötigungen der Wirklichkeit, Farbe zu bekennen. Man kann aber auch sagen: Versuche, die Wirklichkeit da zu verstehen, wo sie nichts preisgeben möchte.«
Siegfried Lenz

Die Auflehnung
Roman
ISBN 978-3-423-**13281**-7

Fundbüro
Roman
ISBN 978-3-423-**13336**-4

Deutschstunde
Roman
ISBN 978-3-423-**13411**-8

Heimatmuseum
Roman
ISBN 978-3-423-**13413**-2

Landesbühne
ISBN 978-3-423-**13985**-4

Schweigeminute
Novelle
ISBN 978-3-423-**13823**-9
ISBN 978-3-423-**25320**-8
(dtv großdruck)

Die Ferne ist nah genug
Erzählungen
ISBN 978-3-423-**14023**-2

Küste im Fernglas
Erzählungen
Hg. v. Helmut Frielinghaus
ISBN 978-3-423-**14080**-5

Die Maske
Erzählungen
ISBN 978-3-423-**14237**-3